De groene vervuiler

MARC HOOGHE

De groene vervuiler

HET CONFLICT TUSSEN LANDBOUW EN LEEFMILIEU

Standaard Uitgeverij
ANTWERPEN

Een uitgave van Standaard Uitgeverij/BRTN/VAR

In de reeks *ACTUEEL* zijn reeds verschenen:

Lieven Verstraete, *Het verdrag van Maastricht* (eerste druk: sept. 1992; zevende, geactualiseerde druk: nov. 1993)

Jos. Bouveroux, *De partij van de burger* (nov. 1992)

Leo Hellemans, *België, arm of rijk?* (eerste en tweede druk: febr. 1993; derde druk: sept. 1993)

Pieter Knapen, *Somalië: Restore Hope* (febr. 1993)

Jos. Bouveroux, *Het Sint-Michielsakkoord* (eerste druk: maart 1993; vijfde druk: nov. 1993)

Bert De Craene, *Vreemdelingen: haat of liefde?* (april 1993)

Carl Voet, *Oorlog in Joegoslavië* (eerste druk: mei 1993; tweede druk: sept. 1993)

Jos. Bouveroux, *Koning Boudewijn* (eerste en tweede druk: aug. 1993)

Jan Van Delm, *Justitie in opspraak* (eerste druk: aug. 1993; tweede, geactualiseerde druk: nov. 1993)

Johny Vansevenant, *Maffia aan de Maas* (eerste druk: sept. 1993; tweede druk: nov. 1993)

Jan Huys, *Het pensioendebat* (eerste druk: okt. 1993; tweede, geactualiseerde druk: jan. 1994)

Bert De Craene, *Het nieuwe Rusland* (dec. 1993)

Johny Vansevenant, *De Agusta-affaire* (febr. 1994)

Rik Tyrions, *Duitsland, vijftig jaar later* (maart 1994)

Rony van Gastel, *Pool, tegenpool* (april 1994)

Jos. Bouveroux, *België uit Afrika?* (mei 1994)

Mike De Mulder en Marc Hooghe, *Aids nuchter bekeken* (mei 1994)

Herman Henderickx, *Mens op de Maan* (juli 1994)

Linda De Win, *De afwezige vrouw* (september 1994)

Verantwoordelijke uitgever: Standaard Uitgeverij n.v. Belgiëlei 147a, 2018 Antwerpen

Omslagontwerp: Stefan Loeckx (MEGA·L·UNA)

Wettelijk depot: D/1994/0034/465
ISBN 90 02 19824 8 / NUGI 825 / CIP

INHOUD

INLEIDING

Het is de afgelopen maanden tot enkele felle conflicten gekomen tussen de landbouworganisaties en de milieubeweging. Denk maar aan het boerenprotest tegen het Mestactieplan, of aan de verschillende incidenten rond de invoering van de Groene Hoofdstructuur. Enkele keren werd er zelfs geweld gebruikt tegen natuurbeschermers. In de Vlaamse regering zorgde het conflict ook voor spanningen tussen de coalitiepartners CVP en SP. Minister van Leefmilieu De Batselier (SP) dreigde in september 1993 zelfs met aftreden als het Mestactieplan niet zou worden goedgekeurd.

Voor veel mensen die niet zo vertrouwd zijn met de landbouwsector komt dit allemaal als een verrassing. Milieuvervuiling, dat is iets van stinkende fabrieken, lange rijen auto's en grote bergen afval. Maar zijn boeren ook al milieuvervuilers? We weten wel dat het stoere Brabantse trekpaard is vervangen door een stevige tractor, maar voor de rest denken we nog altijd dat de landbouw een kleinschalige activiteit is, waarmee de boer zijn brood verdient in harmonie met de natuur.

Maar dat idyllische beeld van de landbouw klopt allang niet meer. De landbouwsector heeft de afgelopen decennia een enorme verandering ondergaan, en het is juist die evolutie die zorgt voor de milieuschade. Twee problemen krijgen daarbij de meeste aandacht: het mestprobleem, en de herrie rond de Groene Hoofdstructuur. Het gaat niet noodzakelijk om de belangrijkste milieuproblemen in de landbouwsector, maar het zijn wel de twee kwesties waar de afgelopen maanden het meest om te doen is geweest.

De hele controverse rond landbouw en leefmilieu roept in elk geval fundamentele vragen op over de toekomst van onze landbouw. Moeten we verder gaan met het produceren van grote hoeveelheden landbouwprodukten waarvoor geen markt bestaat? Of moeten we evolueren naar een ander soort landbouw, waarin ook de milieuaspecten aan bod komen? Dat is de achtergrond van het conflict tussen landbouwers en milieubeweging.

1
DE LANDBOUW IS NIET MEER ZOALS VROEGER

De landbouwsector is de afgelopen tientallen jaren grondig veranderd. Aan de ene kant is het aantal mensen dat actief is in de sector voortdurend gedaald: nauwelijks 2 procent van de Belgen werkt nog als landbouwer. Maar tegelijk is de produktie enorm gestegen. Dat betekent dat er steeds intensiever geproduceerd wordt. Op een kleinere oppervlakte moeten minder mensen meer produceren. Die intensifiëring is voor een groot deel de verklaring waarom de landbouw tegenwoordig zoveel milieuproblemen oplevert.

HET VLASCHAARD-SYNDROOM

Bij veel mensen komt het als een verrassing de landbouwsector gebrandmerkt te zien als de grote vervuiler. Men ziet landbouw nog vaak als een idyllische activiteit in harmonie met de natuur. Je zou dit het Vlaschaard-syndroom kunnen noemen, naar de klassieke roman van Stijn Streuvels (1907). Daarin beschrijft Streuvels met veel liefde het glooiende landschap tussen Leie en Schelde:

De zon verrichtte eenbaarlijk en zonder stoornis haar groots zomerwerk over 't land. De vruchten te velde hadden nu hun volle wasdom [...]. De vlugge zwaluwen schoeren er over heen, en van de schone rust en goede eenzaamheid had de vlasvink gebruik gemaakt om midden in die ploeze haar nest te bouwen. Nog andere vogels hadden er hun woonst aangelegd en leefden er ongestoord in blijde samenkomst.

Landbouw en leefmilieu lijken hier nog vredig naast elkaar te bestaan. Wilde dieren en planten vinden er nog hun plaatsje. Ook de activiteiten van de mens verstoren de landelijke rust niet:

Nu kwamen de boeren van hun hof en waar ze malkander ontmoetten, begon de eindeloze kout over de ongelooflijke schoonheid van 't vlas. Te midden de akker en allerwegen zag men boeren en koopmans twisten en tieren, heftige gebaren maken, achteruitgaan, vertrekken en weer terugkeren, om eindelijk de pandslag te geven en daarna in 't deurgat van een herberg te verdwijnen.

Streuvels geeft in dergelijke passages een realistisch beeld van het leven op het platteland anno 1907. Maar het probleem is dat veel mensen geloven dat het er nu nog altijd op dezelfde manier aan toegaat. Ook in het basisonderwijs en op kinderboerderijen wordt dat Vlaschaard-beeld herhaald: de kippen die op het erf rondscharrelen, en in de weide zitten enkele koeien en schapen. Het resultaat is dat velen zich afvragen: hoe kan men zoiets nu een milieuprobleem noemen?

MODERN

Wel, dat soort boerderijen bestaat niet meer. Ze zijn hoogstens nog een marginaal verschijnsel van oudere landbouwers, die zich niet aan de vooruitgang hebben aangepast. De landbouwsector is inderdaad grondig gemoderniseerd, en die verandering is in de landbouw niet veel anders verlopen dan in andere economische sectoren. Er moet voortdurend meer geproduceerd worden, alles moet sneller, en machines nemen het werk van de mens over. De oude ambachtelijke tradities worden vervangen door gesofistikeerde computertechnologie. En door de toenemende internationale concurrentie kan men nauwelijks ontsnappen aan deze kringloop. Zoals François, de postbode, het uitdrukt in Jacques Tati's film *Jour de Fête*: het motto van de moderne tijd is niet voor niets: *rapidité et efficacité.*

MINDER BOEREN

De landbouw was vroeger bijzonder arbeidsintensief. Een groot deel van de bevolking was actief in de sector. Nog in 1965 verdiende 14 procent van de beroepsbevolking in de Europese Gemeenschap zijn brood in de landbouw. Dertig jaar later is dat nog nauwelijks 5 procent. In het Vlaams Gewest is de voltijdse tewerkstelling gedaald van 68 700 in 1980 tot 55 300 in 1992. Dit proces gaat nog onverminderd door: elk jaar verdwijnen zo'n 2000 voltijdse of deeltijdse jobs in de landbouwsector. De belangrijkste redenen voor het teloorgaan van de jobs zijn de automatisering en mechanisering. Menselijke arbeid wordt in een snel tempo overgenomen door machines. Dat heeft ook gevolgen voor het leefmilieu. Ten tijde van Streuvels werd het onkruid nog gewied door groepen arbeiders. Nu spuit men gewoon herbiciden...

KLEINERE OPPERVLAKTE

De landbouw moet het niet alleen stellen met steeds minder mensen, maar ook de oppervlakte waarover de sector kan beschikken, wordt steeds kleiner. Na de oorlog was er zowat 2 miljoen hectare landbouwgrond in België. Nu is dat nog 1 345 000 hectare, of een daling met één derde. De overige 600 000 hectare is opgeofferd aan nieuwe woonwijken, industrieterreinen, havenuitbreidingen, autosnelwegen enzovoort. Ook nu nog verdwijnt de landbouwgrond in een snel tempo. In 1980 was er in Vlaanderen nog 634 400 hectare beschikbaar voor de landbouw, nu is dat al minder dan 600 000 hectare.

Ook hier heb je zware milieugevolgen. De oppervlakte krimpt voortdurend, en toch moet de opbrengst blijven stijgen. Dat betekent méér bestrijdingsmiddelen, méér meststoffen, en allerlei andere kunstgrepen. Het betekent ook dat landbouwers zich moeten aanpassen om hun inkomen op peil te houden. Als je op een geringe landbouwoppervlakte toch een serieus inkomen bij elkaar wilt krijgen, heb je eigenlijk maar twee mogelijkheden. Of je kunt je toeleggen op groente-, fruit- of bloementeelt, waar de opbrengst per hectare veel hoger ligt. Of je kunt overschakelen op de intensieve veeteelt, waarbij varkens, kalveren of kippen op een kleine oppervlakte bij elkaar worden gezet.

OPBRENGSTEN

Ondanks het feit dat tienduizenden arbeidsplaatsen verdwenen zijn, is de landbouwsector er toch in geslaagd de produktie voortdurend op te drijven. Vandaar dat we komen tot de bekende slogan: "Eén landbouwer produceert voedsel voor tachtig mensen".

De landbouwsector werkt dan ook veel intensiever dan vroeger. De veranderingen zijn hier echt revolutionair geweest, zoals blijkt uit enkele cijfers die worden gepubliceerd door Marc De Coster (red.) in *Milieuzorg in de Landbouw* (DNB, Antwerpen 1989). In 1846 bedroeg de gemiddelde opbrengst van een hectare tarwe in ons land nog maar 1500 kilo. In 1960 was dat al meer dan verdubbeld tot 3600, en sindsdien is de produktiviteit razendsnel blijven stijgen: een hectare tarwe moet nu al 7000 kilo opbrengen. Dat kan door het gebruik van nieuwe variëteiten, en door een grote inzet van mest en bestrijdingsmiddelen. Maar ook het vee moet steeds beter renderen. In 1965 gaf een melkkoe nog gemiddeld 3500 liter melk per jaar. Twintig jaar later is men erin geslaagd dat op te drijven tot 4300 liter. Zelfs de kippen ontsnappen niet aan het helse ritme in de moderne landbouw. In 1950 gaf een legkip gemiddeld 140 eieren per jaar. Nu legt diezelfde kip dubbel zoveel eieren: 277 per jaar.

OUDERE BOEREN

Door dit alles is de landbouwsector niet meer echt aantrekkelijk voor jongeren. Het opstarten van een landbouwbedrijf vraagt grote investeringen op het vlak van machines en gebouwen. En tegelijk ligt de opbrengst van die investeringen stukken lager dan in andere sectoren. Veel oudere landbouwers kampen daardoor met het probleem dat ze geen opvolger hebben voor hun bedrijf. Van de 46 000 boeren die ouder zijn dan 50, zijn er maar liefst 28 000 die geen opvolger hebben. Het vak wordt niet meer zoals vroeger van vader op zoon en van moeder op dochter doorgegeven. De meeste kinderen willen de boerderij van hun ouders niet meer voortzetten. In de landbouwsector is het nog niet zo erg als in de kloosters, maar ook hier heb je een sterke veroudering, met weinig jong bloed. Men noemt dit de "uitbollende bedrijven": oudere bedrijfsleiders, die nog weinig geneigd zijn nieuwe investeringen te doen. Ook van milieu-investeringen komt er bij die uitbollende bedrijven meestal niet veel terecht.

HET BELANG VAN DE LANDBOUW

Het economisch belang van de landbouwsector is flink verminderd. Dat is niet alleen een gevolg van de inkrimping van de sector zelf, maar ook van de pijlsnelle groei van industrie en diensten. Daardoor is de landbouw relatief gemarginaliseerd in onze samenleving. In 1970 was de sector nog goed voor zowat 3,6 procent van ons Bruto Nationaal Produkt. In 1990 was dat nog maar nauwelijks 2,5 procent. Opvallend is wel dat het economisch gewicht van de landbouwsector vooral in Vlaanderen ligt. Het Vlaams Gewest is goed voor zowat 2/3 van de landbouwproduktie. En dit ondanks het feit dat slechts 45 procent van het landbouwareaal in Vlaanderen ligt. De Waalse landbouw heeft dan ook een heel ander karakter dan de Vlaamse: grotere bedrijven, die veel minder intensief bewerkt worden. De industriële kwekerijen van varkens en kippen komen in Wallonië nauwelijks voor. Ook de groente- en fruitkweek is vooral een Vlaamse zaak.

LANDBOUWGEBONDEN BEDRIJVEN

Toch is de economische impact van de landbouw een stuk groter dan de cijfers laten vermoeden. De landbouwers zelf produceren niet meer dan 2,5 procent van het Bruto Nationaal Produkt, maar daarnaast zijn er ook een heleboel bedrijven die direct afhankelijk zijn van de landbouw. Wanneer je die er allemaal bij telt, legt de landbouwsector al meer gewicht in de schaal, zoals de Belgische Boerenbond opmerkt in zijn brochure *Streven naar duurzaamheid* (1991).

Er zijn inderdaad een heleboel bedrijven die voornamelijk aan landbouwers leveren. Denk maar aan de producenten van tractoren, zaaigoed, veevoeder, aannemers van varkensstallen enzovoort. En omgekeerd zijn er een heleboel bedrijven die hun grondstoffen halen uit de landbouwsector: maalderijen, brouwerijen, mouterijen, slachthuizen, en zo kun je nog wel een tijdje doorgaan. Die landbouwgebonden bedrijven zijn volgens de Boerenbond goed voor zo'n 4 procent van het BNP, en wanneer je dat allemaal samentelt kom je voor de landbouwsector in de brede betekenis van het woord toch aan 7 procent. De landbouw wordt op die manier een van de belangrijkste economische sectoren in ons land.

POLITIEK GEWICHT

Ondanks het feit dat het economisch belang van de landbouwsector voortdurend is verkleind, heeft de sector nog een belangrijke politieke invloed. Dat heeft ten eerste te maken met het bijzondere strategisch belang van de landbouw. Al tijdens de middeleeuwen beschouwde men het als een van de belangrijkste taken van de vorst dat hij de voeding van zijn onderdanen garandeerde. Je hebt bovendien het simpele feit dat landbouwers tractoren hebben: vijftig landbouwers die met hun trekker op straat komen kunnen heel wat hinder veroorzaken, en krijgen daardoor aandacht van de media en de politiek. Terwijl niemand opkijkt van vijftig opvoeders die betogen, zonder tractor.

Maar daarnaast heeft het politiek gewicht van de landbouwsector ook wel te maken met de efficiënte manier waarop de landbouwers hun politieke belangen verdedigen. Er zijn vier organisaties die zich opwerpen als de verdedigers van de landbouwsector. De grootste, en oudste, is natuurlijk de Belgische Boerenbond, met zetel in Leuven. De organisatie werd gesticht in 1890, en leunt nauw aan bij de katholieke partij, later bij de CVP. De Boerenbond bestaat niet alleen uit een ledenorganisatie, maar heeft daarnaast ook een heleboel economische activiteiten: de bank Cera, de verzekeringsmaatschappij ABB, de toeleveringsfirma AVeVe enzovoort. In 1936 kwam er een eerste afsplitsing: het Boerenfront, met zetel in Mechelen. De organisatie wenst zich nadrukkelijk buiten elke partijpolitiek te houden. Het Algemeen Boerensyndicaat (ABS) ontstond in 1962, en toont zich de laatste tijd bijzonder militant. Volgens critici is er sprake van een zeker opbod tussen het ABS en de Boerenbond, waarbij elke organisatie probeert zo strijdbaar mogelijk uit de hoek te komen. In 1985, ten slotte, ontstond het Boerensyndicaat, een afsplitsing van het ABS. Deze organisatie is beter bekend onder de naam Vlaams Agrarisch Centrum (VAC). Het is de enige landbouworganisatie die regelmatig samenwerkt met de milieubeweging.

Het is moeilijk precieze ledencijfers te krijgen van de landbouworganisaties. Het is trouwens niet uitgesloten dat sommige landbouwers lid zijn van meer dan één organisatie: ze worden lid van de Boerenbond omwille van de lokale dienstverlening, en van het ABS omdat ze de politieke acties van die organisatie steunen. Zeker is dat het Boerenfront en het VAC de kleine broertjes zijn, met enkele duizenden landbouwers. De dominante positie van de Boerenbond lijkt de laatste tijd enigszins in het gedrang te komen door de groei van het ABS.

2
DE LANDBOUW ALS MILIEUPROBLEEM?

Door de moderne evolutie in de landbouwsector zijn er een heleboel milieuproblemen ontstaan. Straks gaan we nader in op twee van die problemen, die de laatste tijd de meeste aandacht hebben gekregen: de mest, en het natuurbehoud. Maar eerst geven we in dit hoofdstuk een algemeen overzicht van de relatie landbouw-leefmilieu.

MEST

Een eerste en belangrijk probleem is natuurlijk de vermesting van het leefmilieu. De mest die door de landbouwers kwistig wordt verspreid, komt in het leefmilieu terecht en verstoort daar het natuurlijke evenwicht.

De grootste boosdoener is hier nitraat, een van de voornaamste bestanddelen van mest. Planten hebben nitraat nodig voor de groei, maar als er te veel nitraten worden gestrooid, spoelt het overschot weg en dat komt in beken of rivieren terecht. Ook daar blijft het actief als meststof, met als resultaat dat waterplanten en algen uitbundig gaan groeien. Andere planten en dieren komen daardoor in de verdrukking, en je krijgt oppervlaktewater dat wel groen ziet, maar voor de rest biologisch zeer arm is. Als er nog meer nitraat in het water terechtkomt, wordt het leven in die waterloop op den duur onmogelijk. Overdag produceren planten wel zuurstof, maar 's nachts nemen ze zuurstof op. Daarom is het niet verstandig planten in je slaapkamer te laten staan. Maar vissen kunnen nu eenmaal de planten niet uit hun slaapkamer wegzetten. De overvloedige algengroei zorgt ervoor dat 's nachts alle zuurstof uit het water verdwijnt, en het gevolg is dat vissen en andere dieren omkomen door zuurstoftekort. Met een ingewikkeld woord noemt men dit hele proces "eutrofiëring".

WATER

Eutrofiëring is een bijzonder ernstig probleem in de Vlaamse oppervlaktewateren. Uit de metingen van de Vlaamse Milieumaatschappij (VMM) blijkt dat onze beken en rivieren gemiddeld 9,9 milligram nitraat per liter bevatten. Dit is tien keer meer dan de aanbevolen concentratie! In de probleemgebieden, met een intensieve veeteelt, liggen de gemiddelde concentraties nog een stuk hoger.

Het probleem lijkt bovendien alleen maar erger te worden: lange tijd kwam eutrofiëring alleen voor in waterlopen en stilstaande plassen. Maar de afgelopen jaren zien we dat ook in de Noordzee overvloedige algengroei wordt waargenomen, vooral in de strook voor de Belgische kust tot boven de Waddeneilanden. Dat is niet verwonderlijk: de Noordzee krijgt daar op een relatief beperkte oppervlakte het nitraat te verwerken dat door enkele grote rivieren wordt aangevoerd.

Maar vermesting is niet alleen een probleem van het oppervlaktewater. Ook de grondwaterlagen krijgen steeds grotere dosissen nitraat te slikken. Het gaat hier om een bijzonder ernstig probleem, omdat het zo goed als onomkeerbaar is. Als de diepere grondwaterlagen ondrinkbaar zijn geworden, kan ook de meest geraffineerde milieutechnologie daar niets meer aan veranderen.

VERZURING

De landbouwsector is ook voor een flink stuk verantwoordelijk voor het ontstaan van zure regen. Zure neerslag ontstaat door ingewikkelde chemische reacties in de atmosfeer, en bedreigt de gezondheid van de Europese bossen.

Het Belgische ministerie van Leefmilieu schatte in 1990 dat de landbouw verantwoordelijk is voor ongeveer een kwart van de uitstoot van verzurende stoffen, wat betekent dat de landbouw hier net zo schadelijk is als de hele industrie. Het onrustwekkende is bovendien dat de uitstoot van verzurende stoffen door de landbouw niet daalt, terwijl de andere sectoren wel drastisch saneren. Zo hebben de elektriciteitscentrales hun bijdrage tot de verzuring in de jaren tachtig met 2/3 kunnen verminderen. Door die inspanning van de industrie, stijgt het relatieve aandeel van de landbouwsector in het veroorzaken van zure neerslag.

De landbouw draagt op een specifieke manier bij tot verzuring. Ietwat vereenvoudigend zou je kunnen zeggen dat verzuring ontstaat door een samenspel van zwaveldioxyde, stikstofoxyden en ammoniak. Bij het zwaveldioxyde is vooral de industrie de grote boosdoener, bij de stikstofoxyden is dat het verkeer, terwijl de landbouw bijna uitsluitend verantwoordelijk is voor de produktie van ammoniak.

Een Duitse studie gaat ervan uit dat van de 123 000 ton ammoniak die jaarlijks vrijkomt in ons land, er 122 000 ton afkomstig is van de landbouw. Vooral de intensieve veeteelt is hiervoor verantwoordelijk. De ammoniak komt hier niet alleen vrij bij het uitrijden van mest, maar ook door de uitwasemingen in de stallen. In Nederland ziet men bij veel veestallen dan ook al afzuiginstallaties, die de ammoniakdampen opvangen. Meer en meer Nederlandse landbouwers injecteren de mest ook rechtstreeks in de grond, in plaats van hem met de gierton op de akkergrond te deponeren. Door op die manier het contact van de mest met de buitenlucht tegen te gaan, wordt de uitstoot van ammoniak verminderd.

GEURHINDER

Uiteraard speelt hier een sterk subjectief element mee. De een zal de geur van een verse silo bietenpulp als hinderlijk omschrijven, terwijl iemand anders er juist dol op is. Over dergelijke kwesties zullen wel eens burenruzies ontstaan, maar in de praktijk is er ook hier maar één sector die voor problemen zorgt: de intensieve varkenshouderij. Zowel de varkensstallen zelf, als het uitrijden van de mest kunnen voor sterke geurhinder zorgen. Vooral in de Westvlaamse gemeenten waar de varkensteelt geconcentreerd is, kan de geurhinder flink uit de hand lopen. Het beleid tracht hieraan wat te doen door het opleggen van een minimumafstand tussen varkensstallen en de bebouwde kom. Die normen werden onlangs nog verstrengd in het kader van de nieuwe milieuregelgeving Vlarem 2. Door het Mestdecreet is het ook verboden mest uit te rijden op zon- en feestdagen.

PESTICIDEN

De landbouwsector doet in toenemende mate een beroep op chemische stoffen. Het totale verbruik is zowat 9 miljoen kilogram actieve stof per jaar. Voor het grootste deel gaat het om herbiciden, die dienen om onkruid uit te schakelen. Maar daarnaast zijn er ook specifieke pesticiden tegen bijvoorbeeld roofinsekten, plagen, schimmels, planteziekten enzovoort. Alles samen een gevaarlijke cocktail. Nu is er de afgelopen decennia al veel verbeterd. Wetenschappers zijn erin geslaagd pesticiden te ontwikkelen die beter afbreekbaar zijn. Het grote probleem met de eerste generatie pesticiden was namelijk dat ze niet afbreekbaar waren. Het typevoorbeeld is hier wel DDT. Als dat eenmaal werd uitgestrooid, bleef het gewoon altijd verder bestaan. Het gevolg was dat na verloop van tijd DDT zich opstapelde in het lichaam van dieren en mensen. Zelfs in de poolgebieden wordt DDT waargenomen.

Het gebruik van DDT is nu verboden en de pesticiden die nu gebruikt worden, zijn veel gemakkelijker afbreekbaar. Dat betekent dat de moleculen na verloop van enkele dagen of weken uit elkaar vallen tot relatief onschadelijke stoffen. Toch is daarmee het probleem niet voor 100 procent opgelost: er blijft altijd wel wat achter. Door het feit dat er zo'n gigantische hoeveelheden pesticiden worden gebruikt, kan de vervuiling hier toch nog oplopen. De pesticiden kunnen dan doordringen in de bodem, en zo ook in het oppervlakte- en in het bodemwater. Voor de drinkwatermaatschappijen is het onbegonnen werk om ze eruit te halen. Er bestaan nochtans strenge Europese richtlijnen, die bepalen dat drinkwater geen resten van pesticiden mag bevatten. De Vlaamse regering heeft echter de toestemming gegeven om deze richtlijnen "tijdelijk" te overtreden. Een inwoner van Antwerpen is daartegen in beroep gegaan bij de Raad van State, maar die besliste in maart 1994 dat de overheid niet hoeft in te staan voor onberispelijk drinkwater.

Wie ontevreden is over kraantjeswater, kan immers altijd nog water in flessen kopen, oordeelde de Raad. Of het Europees Hof van Justitie deze redenering zal volgen blijft nog af te wachten.

ONTBOSSING

Een probleem waarvoor nog weinig aandacht bestaat, is de milieuschade die onze landbouwsector aanricht in de Derde Wereld. Dit vraagt om enige uitleg. De landbouw is tegenwoordig bijzonder intensief, en veel bedrijven zijn niet meer grondgebonden. Het is niet meer zo dat de boer zelf voederbieten teelt voor zijn vee. De moderne veeteler heeft alleen maar varkens of koeien en koopt het voeder. De moderne bio-industrie vergt dan ook een massale invoer van grondstoffen uit andere landen. Veevoeder, bijvoorbeeld, wordt in grote hoeveelheden ingevoerd.

Een gedeelte van het veevoeder komt uit eigen land of uit andere Europese landen, maar een groot gedeelte komt ook uit landen als de Verenigde Staten, Thailand of Brazilië. De teelt van maniok en soja, die enkel bedoeld is om de Westeuropese varkens en koeien te voederen, neemt er grote oppervlakten in. In het Nederlandse milieurapport *Zorgen voor morgen* (1988) wordt dat zeer duidelijk uit de doeken gedaan. De Nederlandse landbouw legt beslag op zo'n 2 miljoen hectare in Nederland zelf. Maar volgens het rapport staat er in de rest van de wereld nog eens vijf miljoen hectare landbouwgrond ten dienste van de Nederlandse landbouw. Op die oppervlakte wordt dan bijvoorbeeld het veevoeder voor de Nederlandse varkens en runderen gekweekt. Bij ons loopt het niet zo'n vaart. Maar ook hier kun je ervan uitgaan dat er in de Derde Wereld enkele honderdduizenden hectaren worden opgeofferd voor de Belgische landbouw. Grond, die anders gebruikt zou kunnen worden voor bossen, of voor plaatselijke teelten.

VOEDSEL

Bovendien moet men dit zien in de context van de wereldvoedselsituatie. Maniok en soja kunnen ook door de mens gegeten worden en ze kunnen zelfs lekker worden klaargemaakt. Wanneer je echter maniok aan varkens voert en dan het varkensvlees opeet, maak je een overbodige omweg. Als je 10 voedseleenheden maniok aan een varken voert, is het uiteindelijke resultaat slechts één eenheid varkensvlees. De overige negen eenheden verdwijnen als mest, in de bewegingsenergie van het dier, of als slachtafval. En dat terwijl er geen enkele reden is waarom de mens niet direct zelf die tien eenheden maniok zou kunnen opeten. De intensieve veeteelt draagt dus bij tot een massale vernietiging van voedsel. Als je rekening houdt met de penibele wereldvoedselsituatie, die bovendien steeds slechter wordt, is dat toch een ernstig probleem.

BIOLOGISCHE RIJKDOM

"Biodiversiteit" is een nog redelijk nieuwe term. Het is een handig woord om de verscheidenheid van plante- en diersoorten op aarde aan te duiden. In kringen van natuurbeschermers wordt meer en meer gebruik gemaakt van de term, en op de UNO-Conferentie voor Milieu en Ontwikkeling (Rio de Janeiro, 3-14 juni 1992) werd zelfs een internationaal verdrag ter bescherming van de biodiversiteit ondertekend.

Op wereldschaal wordt de biodiversiteit vooral bedreigd door het verdwijnen van grote natuurgebieden. Het heeft bijvoorbeeld weinig zin een wet te maken waardoor de tijger wordt beschermd, als tegelijk de bossen waarin de tijger leeft in een snel tempo verdwijnen. Maar ook de landbouw kan een factor zijn in het verschralen van de biodiversiteit. Denk maar aan de hoogstammige fruitbomen, die tot voor kort de Vlaamse boomgaarden vulden. Omdat het veel eenvoudiger is van laagstammige fruitbomen te oogsten, werden de hoogstammige in een snel tempo gerooid. Sommige soorten zijn nu al zo goed als verdwenen.

Ook bij andere teelten is er een steeds grotere standaardisering. Iedereen kent het aardappelras "Bintje", maar weinigen weten dat de tientallen aardappelsoorten die we vroeger hadden nu bijna allemaal verdwenen zijn. Ook voor de landbouw zelf schuilt er een groot gevaar in het verdwijnen van de genetische rijkdom. De soorten die nu gekweekt worden, bieden inderdaad het grootste rendement. Maar door je volledig toe te leggen op enkele soorten, word je bijzonder kwetsbaar voor allerlei ziekten en afwijkingen. Als je daarentegen een bredere genetische basis hebt, kan een probleem bij de ene soort gecompenseerd worden door een andere variëteit.

OPEN RUIMTE

In een landbouwgebied kan er nog heel wat natuur voorkomen. Denk maar aan greppels, sloten, houtwallen, rijen knotwilgen, beekkanten, drinkpoelen, of bomen die werden geplant om schaduw te bezorgen aan het vee. Milieudeskundigen noemen zoiets: "punt- en lijnvormige landschapselementen". Als je het op een stafkaart bekijkt, zijn een rij knotwilgen, of een alleenstaande boom inderdaad niet meer dan een punt of een lijn. Toch zijn dergelijke landschapselementen bijzonder waardevol. Ze bieden onderdak aan allerlei dieren als egels, zangvogels en kleine roofdieren.

Door de intensifiëring van de landbouw zijn de afgelopen decennia erg veel van dergelijke landschapselementen verloren gegaan. Het gaat immers veel vlugger met de tractor in één keer vijf hectaren om te ploegen, dan vijf aparte akkers van één hectare. Vandaar dat er in de landbouw duidelijk een trend is geweest om grote velden en akkers te creëren, en de kleine landschapselementen hebben daarvoor moeten wijken. Zeker in een gebied als Vlaanderen, waar de grote natuurgebieden toch al dun gezaaid zijn, is het verdwijnen van die kleine landschapselementen een ware ramp voor het leefmilieu.

EROSIE

Erosie is een relatief nieuw fenomeen in onze streken. Het verdwijnen van de vruchtbare bovenlaag leek tot nu toe vooral een probleem in de Derde Wereld. Orkanen, gigantische regenbuien en langdurige droogtes kunnen er immers veel feller huishouden dan in het gematigde klimaat dat wij in België kennen. Toch is er de laatste tijd wel enige bezorgdheid gegroeid over erosie, vooral dan in de heuvelstreken in het zuiden van het Vlaams Gewest. Eigenlijk weet men niet goed waarom de vruchtbare laag er wegspoelt. Het is mogelijk dat de zware landbouwmachines de minuscule afwateringskanaaltjes in de bodem platdrukken. Bij een flinke regenbui zoekt het water dan maar zijn weg over de oppervlakte en spoelt daarbij aarde met zich mee. Het verdwijnen van de houtwallen en de struiken geeft bovendien vrij spel aan de wind, die daardoor gemakkelijker stof- en aardedeeltjes kan wegblazen. Er is tot nu weinig aandacht voor het erosieprobleem in Vlaanderen. Maar deskundigen vrezen dat de omvang van de erosie in de Vlaamse heuvelstreken de komende jaren alleen maar zal toenemen.

BESEF

Tot voor enkele jaren werd er in het milieubeleid nauwelijks aandacht besteed aan de landbouw. Milieuhinder, dat was iets van grote, stinkende fabrieken en van lange rijen auto's. Maar de afgelopen jaren is de aandacht voor de milieuaspecten van de landbouwsector gestaag gegroeid. Het Nederlandse overheidsrapport *Zorgen voor morgen* (1988) fungeerde hierbij voor velen als blikopener. Zo besteedt ook het 5de Milieuactieplan van de Europese Commissie uitgebreid aandacht aan de landbouwsector. In het nieuwe Nederlandse Nationale Milieuplan 2 van december 1993 wordt de landbouw zelfs als eerste doelgroep genoemd, nog voor de industrie. Het plan bevat een aantal strenge bepalingen, niet alleen in verband met vermesting, maar ook over verzuring, bestrijdingsmiddelen en verdroging. Bij ons is op die terreinen nog maar nauwelijks een beleid ontwikkeld. Maar het Vlaamse milieubeleid loopt wel vaker enkele jaren achter op het Nederlandse, zoals socioloog Pieter Leroy opmerkt in het *Milieujaarboek 1993* (VUB Press, Brussel 1994). De Vlaamse boeren mogen dan ook verwachten dat ze in de nabije toekomst nog meer belaagd zullen worden met strenge milieunormen.

3
HET MESTPROBLEEM

De afgelopen jaren is er heel wat te doen geweest rond het mestbeleid, en dat heeft geleid tot scherpe confrontaties tussen milieubeweging en de landbouwsector. Het blijft daarbij onduidelijk of er echt een "mestoverschot" is. De landbouwsector meent van niet: daar beweert men dat er plaatselijk misschien wel te veel mest is, maar dat er in Vlaanderen ook veel gebieden zijn waar men best nog wat extra mest kan gebruiken. Als je dat allemaal samentelt, is er helemaal geen overschot, beweert de landbouwsector.

De milieubeweging daarentegen zegt dat er wel degelijk een mestoverschot is. Er moet minder mest geproduceerd worden, stelt men daar – dat is de enige oplossing. Als je de mest gaat verspreiden van de gebieden met veel mest, naar de gebieden met weinig mest, verplaats je alleen het probleem. Hoe zit het nu eigenlijk?

MEST ALS GRONDSTOF

Allereerst dit: mest is géén afvalprodukt. Integendeel, het is een waardevolle grondstof voor de landbouw. Dat is een aspect dat in de hele discussie vaak vergeten wordt. Mest bevat waardevolle stoffen, zoals nitraat, fosfaat en kalium. Planten hebben die mineralen nodig om te groeien. De uitwerpselen van varkens en runderen vormen dus letterlijk een goede bemesting. Maar ook hier geldt het oude gezegde van de alchemisten: ook een nuttige stof wordt giftig als er te veel van is.

WAT ZIT ER IN MEST?

Vroeger, in de tijd van de kleinschalige landbouw, had je vooral vaste mest. U kent het beeld: de mesthoop op het erf van de boerderij. Die mest bestaat vooral uit stro, vermengd met de uitwerpselen van de dieren. Maar in de moderne veeteelt zijn er nog weinig dieren die het geluk hebben hun dagen op stro te kunnen doorbrengen. In de moderne veeteeltbedrijven staan de dieren op roosters. De uitwerpselen van de dieren vallen door het rooster en worden dan doorgespoeld naar een centrale tank. Dit systeem bespaart veel werk en is daardoor veel goedkoper dan het oudere systeem met stro. De landbouwer hoeft de mest niet meer met de riek onder de koeien uit te halen. Gewoon even de waterkraan openzetten en alle mest spoelt weg. Het gevolg is echter dat je geen vaste mest meer hebt, maar vloeibare mest. Vaak wordt die ook mengmest of drijfmest genoemd.

Het belangrijkste bestanddeel van mengmest is dus water. Naargelang de diersoort bestaat 90 tot 98 procent van de mest uit gewoon water. Dit maakt de verwerking ervan uiterst duur. Je zou bijvoorbeeld een systeem op poten kunnen zetten om overtollige mengmest van West-Vlaanderen naar Vlaams-Brabant te brengen. Maar de transportkosten lopen bij zo'n systeem bijzonder hoog op, en de mest is zo veel niet waard. Het heeft geen zin veel geld te besteden aan het transport van water.

N-P-K

Maar behalve water bevat mengmest ook 2 tot 10 procent droge stof. Mest van kalveren bevat slechts 2 procent droge stof, bij varkens is dat 8 procent en bij volwassen koeien een kleine 10 procent. Voor kippenkwekerijen is de toestand hier wat gunstiger: kippemest bevat tot 16 procent droge stof.

In de droge stof zijn er drie belangrijke elementen: nitraat, fosfaat en kalium. Liefhebbers van tuinieren kennen die drie stoffen wel: ze worden afgekort tot N-P-K, met het chemisch symbool voor hun hoofdbestanddeel. Als u in de winkel mest koopt voor in de tuin, wordt daarop telkens het N-P-K gehalte vermeld. Planten hebben zowel nitraat, fosfaat als kalium nodig om te kunnen groeien. De behoefte verschilt wel van plant tot plant, en ook de verhoudingen zijn niet altijd hetzelfde. De ene teelt heeft behoefte aan wat meer nitraat, de andere aan wat meer kalium. Wat kalium betreft is er eigenlijk geen probleem. We zullen het in het vervolg dan ook enkel hebben over de twee belangrijkste stoffen: nitraten (N) en fosfaten (P).

TE VEEL VARKENS

In gewone omstandigheden zou er geen mestprobleem mogen zijn: de mest die door de dieren wordt geproduceerd, wordt op de akkers uitgestrooid en wordt op die manier nuttig gebruikt. Er ontstaat slechts een probleem als er te veel dieren zijn in verhouding tot de oppervlakte. De verhouding veeteelt-akkerbouw is de afgelopen decennia inderdaad behoorlijk scheef gegroeid. Om te beginnen is er een specialisatie gegroeid in de landbouwsector. De tijd dat een boerderij wat varkens en wat koeien had, en daarnaast weiden en akkers, is voorbij. Veel bedrijven hebben zich toegelegd op òf de veeteelt òf de akkerbouw. De bedrijven die varkens hebben, hebben in veel gevallen zelf geen akkers om de mest erop te verspreiden. Maar er is meer: de oppervlakte landbouwgrond is voortdurend verminderd, zodat de boeren minder mest kwijt kunnen. Maar tegelijk is het aantal dieren dat mest produceert fenomenaal gestegen. Zo waren er in 1960 nog maar 1,3 miljoen varkens in België. In 1980 waren dat er al meer dan 5 miljoen en ondanks de varkenspest van de afgelopen jaren zijn er nu meer dan 6,8 miljoen varkens in België. Bij de runderen is de stijging minder explosief geweest, maar ook daar is er een gestage groei. Opvallend daarbij is dat de veestapel vooral geconcentreerd is in het Vlaams Gewest.

Tabel 1 – De veestapel in het Vlaams Gewest

	1980	*1985*	*1992*
Runderen	1 586 000	1 635 000	1 696 000
Paarden	26 000	18 000	14 000
Varkens	4 752 000	5 033 000	6 545 000
Kippen	21 263 000	20 127 000	25 695 000

Je moet er bovendien rekening mee houden dat het hier om minimale cijfers gaat. Het werkelijke aantal zal wel wat hoger liggen. Elk jaar, op 15 mei, worden de landbouwers verzocht een aantal gegevens over hun bedrijf te geven in verband met de landbouwtelling. Die gegevens worden dan verwerkt door het Nationaal Instituut voor de Statistiek. Bij het ter perse gaan kon men ons daar alleen de resultaten van 15 mei 1992 geven. De tellingen van mei 1993 en 1994 waren nog niet verwerkt. Die landbouwtelling heeft niets te maken met de belasting, maar waarschijnlijk nemen een aantal landbouwers het zekere voor het onzekere en geven ze minder dieren op dan er feitelijk gehouden worden op het bedrijf. Dit onder het motto: "met de fiscus kun je nooit voorzichtig genoeg zijn..."

DE MESTPLAS

Al die dieren bij elkaar zorgen voor een gigantische hoeveelheid mest: zo'n 30 miljoen ton per jaar. Dat zou voldoende zijn om elke Vlaming 5000 kilo mest te bezorgen.

Tabel 2 – De mestproduktie in Vlaanderen

	Aantal	*Per eenheid*	*Totale hoeveelheid*
Runderen	1 700 000	ca.11 ton/koe	19 miljoen ton
Varkens	6 500 000	ca. 2 ton/varken	10 miljoen ton
Kippen	26 000 000	ca. 80 kg/kip	1 miljoen ton
Totaal			30 miljoen ton

Uit tabel 2 blijkt duidelijk dat runderen instaan voor zowat 2/3 van de mestproduktie en varkens slechts voor 1/3. Het aandeel van andere dieren is te verwaarlozen.

CONCENTRATIE

Ondanks het feit dat meer dan de helft van de mest door runderen wordt geproduceerd, draait de hele discussie toch vooral rond varkensmest. Hoe komt dat? Het grote probleem is dat de varkensteelt veel meer geconcentreerd is dan de runderteelt. De meeste runderkwekers hebben nog eigen grond, waarop de koeien kunnen grazen, of waarop mais, bieten, of andere voederteelten worden gekweekt voor de koeien. Bij de varkens daarentegen is er veel minder sprake van grondgebondenheid. Er zijn veel bedrijven die gewoon bestaan uit een grote loods, waarin enkele honderden of duizenden varkens zitten. Zo zijn er in het Vlaams Gewest 1050 bedrijven die meer dan 100 varkens hebben op minder dan één hectare landbouwgrond. Het voer wordt gekocht en de mest... ja, de mest is dan natuurlijk een probleem.

Ook geografisch is de varkensteelt veel meer geconcentreerd dan de runderkweek, die zowat over het hele land verspreid is. Ongeveer 90 procent van de varkensteelt is gesitueerd in het Vlaams Gewest. De provincie West-Vlaanderen spant de kroon, met ruim de helft van alle Belgische varkens: zo'n 3 479 000 dieren. Dat maakt deze provincie tot de enige met meer varkens dan mensen. Maar ook Oost-Vlaanderen doet z'n best met 1 336 000 varkens, of net één varken per inwoner. Antwerpen volgt met 958 000 varkens. Ter vergelijking: in heel de provincie Brabant worden slechts 236 000 varkens gehouden.

NITRAAT

Die enorme groei van het aantal varkens heeft ervoor gezorgd dat er nu gigantisch veel mest ter beschikking is. Het is geen waardevolle grondstof meer, maar een stof die het leefmilieu in gevaar brengt. We hebben daarnet gezien dat er twee stoffen zijn die zorgen voor overbemesting: fosfaat en nitraat. Maar het gevaar is het meest acuut bij nitraat. Overtollig nitraat spoelt gemakkelijk weg en dringt dan door in de waterreserves. De Vlaamse landbouwgrond krijgt nu heel wat meer nitraat te verwerken dan enkele jaren geleden. Behalve het stijgende aanbod van dierlijke mest, is er immers ook nog het gebruik van kunstmest. Alles samen zorgt dat ervoor dat de Vlaamse landbouwgrond nu bijna twee keer zoveel nitraat toegediend krijgt dan dertig jaar geleden.

Tabel 3 – De gemiddelde uitworp van nitraat per hectare landbouwgrond

	1960	*1982*
Dierlijke mest	100 kilo	160 kilo
Kunstmest	60 kilo	130 kilo
Totaal	160 kilo	290 kilo

DRINKWATER

Als er te veel nitraat op de akkers wordt gespreid, spoelt die door naar beken en rivieren en ook naar de ondiepe grondwaterlagen. Op die manier worden de drinkwaterputten op het platteland onbruikbaar. Dat lijkt nauwelijks nog een probleem: iedereen heeft leidingwater, denkt men. Maar vooral in geïsoleerde gebieden moeten mensen het nog altijd met hun eigen putwater stellen, met alle risico's van dien. Men schat dat zo'n vijf procent van de bevolking nog op putwater is aangewezen.

Uit onderzoek van het Instituut voor Hygiëne en Epidemiologie blijkt echter dat 82 procent van alle stalen die genomen worden bij drinkwaterputten, ondrinkbaar zijn. De vervuiling kan diverse oorzaken hebben, maar overbemesting is zeker een van de belangrijkste problemen. Bij 29 procent van de stalen stelde men immers meer dan 50 milligram nitraat per liter vast. En zoals we daarnet gezien hebben is verontreiniging met nitraat een van de belangrijkste gevolgen van overbemesting.

Nu zijn de meeste drinkwaterputten maar een paar meter diep, en je zou dus kunnen denken dat het hier om een nog oppervlakkig probleem gaat: dat alleen de bovenste lagen zijn aangetast. Dat klopt echter niet: de overbemesting neemt dusdanig grote proporties aan, dat ook de diepere grondwaterlagen worden aangetast. In het Kempense Bocholt bijvoorbeeld heeft men op 50 meter diepte grondwater aangeboord dat 150 milligram nitraat per liter bevatte en totaal ongeschikt was voor menselijke consumptie. Het gaat hier om een bijzonder ernstig probleem: als ook de diepere grondwaterlagen zijn aangetast, is dat onomkeerbaar. Ook de komende generaties zitten dan opgescheept met ondrinkbaar grondwater.

GEZONDHEID

Drinkwater mag niet meer dan 50 milligram nitraat per liter bevatten, maar over die norm bestaat wel enige betwisting. Het is de Belgische wettelijke norm. Drinkwater dat meer dan 50 milligram bevat is dus ongeschikt voor consumptie. Maar volgens de milieubeweging ligt die norm veel te hoog. Zij verwijzen daarbij naar Europese richtlijnen, waar men werkt met een richtwaarde en een streefwaarde. De richtwaarde is het absolute maximum en is in Europees verband ook vastgelegd op 50 milligram. Maar dat betekent niet dat water met bijvoorbeeld 35 milligram nitraat echt gezond te noemen is. Vandaar dat de Europese Commissie werkt met een streefwaarde van 25 milligram nitraat per liter: de overheden moeten ernaar streven dat alle drinkwater niet meer dan 25 milligram bevat. De Wereldgezondheidsorganisatie gaat zelfs nog verder en stelt dat 10 milligram nitraat per liter aanbeveling verdient.

FOSFAAT

Het probleem is bij fosfaat helemaal anders dan bij nitraat, omdat de stof zich anders gedraagt in de bodem. Overtollig fosfaat wordt namelijk door de bodem gebonden. Het fosfaat stapelt zich daar op, tot de bodem volledig verzadigd is. Dan pas begint het fosfaat door te sijpelen. Men noemt dit de fosfaatdoorslag. Dat stadium is echter nog maar op enkele plaatsen in ons land bereikt. In de nabije toekomst kan dat echter snel veranderen. Uit onderzoek door de Bodemkundige Dienst van België blijkt namelijk dat ongeveer 20 procent van alle bodemstalen in ons land nu al "meer dan genoeg" fosfaat bevat. De fosfaatdoorslag kan op die gronden tamelijk vlug optreden. Ook hier zijn de problemen duidelijk geconcentreerd in enkele arrondissementen. In het arrondissement Tielt bevat 65 procent van de bodemstalen "meer dan genoeg" fosfaat. In Roeselare is dat 49 procent en in de arrondissementen Brugge, Eeklo, Diksmuide en Antwerpen schommelt dat rond de 40 procent. In die streken is het risico op fosfaatdoorslag levensgroot aanwezig. Aan het andere uiterste staan arrondissementen als Aalst, Hasselt, Leuven en Halle-Vilvoorde, waar nauwelijks vijf procent van de bodemstalen te veel fosfaat bevat.

NORMEN

Een zeer belangrijk aspect van het hele mestbeleid zijn de bemestingsnormen. Die bepalen hoeveel van een bepaalde meststof op een hectare mag worden uitgespreid. Wat moeten we er ons precies bij voorstellen?

Elke teelt neemt een bepaalde hoeveelheid meststoffen op, maar daar zit een enorme variatie in. Een hectare mais in Haspengouw zal een andere hoeveelheid nitraten opnemen dan een hectare mais in de polders. Ook de weersomstandigheden kunnen de opname beïnvloeden. Kortom: het ideaal zou zijn dat je bij elke akker afzonderlijk gaat kijken hoeveel mest er door de planten is opgenomen. Maar dat is natuurlijk onbegonnen werk. Vandaar dat men werkt met algemene bemestingsnormen. Men gaat ervan uit dat suikerbieten of tarwe over het algemeen een bepaalde hoeveelheid nitraten en fosfaten zullen opnemen. In de praktijk zal dat wel sterk variëren, maar dat moet men er dan maar bij nemen.

TWEE SOORTEN NORMEN

Maar de werkelijkheid is nog een beetje ingewikkelder. Stel: je komt tot de conclusie dat gras elk jaar ongeveer 80 kilogram fosfaten opneemt. Moet de bemestingsnorm dan ook 80 kilogram zijn?

Ja, zeggen de milieudeskundigen. Zij pleiten voor een "milieukundige norm". Als je precies even veel mest op de akker brengt als de plant in normale omstandigheden opneemt, is er geen vervuiling. Vóór de bemesting zit er even veel mest in de bodem als na de oogst. Het eindresultaat is dat er geen negatieve gevolgen zijn voor het leefmilieu.

Nee, zeggen de landbouworganisaties. Je kunt onmogelijk verwachten dat, als je 80 kilo fosfaat in de bodem stopt, de planten al die fosfaten tot de laatste gram opnemen. Zij pleiten daarom voor een "landbouwkundige norm", die een stuk hoger ligt. In dit geval: als je bijvoorbeeld 120 kilo strooit, zal de teelt er 80 opnemen, en dan moet je er maar een beperkt verlies van 40 kilogram bij nemen.

Het vaststellen van de bemestingsnorm is dus vooral een politieke vraag, niet alleen een wetenschappelijke. Maar de norm is wel van cruciaal belang voor de hele mestproblematiek. Als je een hoge norm vastlegt, mag er erg veel mest uitgereden worden en heb je nauwelijks nog een mestoverschot. Als je daarentegen een lage, milieukundige norm vastlegt, krijg je gigantische overschotten. Dat is de hele inzet van de discussies over de bemestingsnormen.

DE BEHOEFTEN VAN DE TEELT

Het is zeer moeilijk om precies te berekenen hoeveel meststoffen een bepaalde teelt onttrekt aan de grond. Toch mag men aannemen dat de meeste teelten zo'n 120 à 240 kilogram nitraat per hectare en per jaar opnemen. Voor fosfaat bedraagt de opname gemiddeld 70 à 120 kilogram per hectare per jaar.

Tabel 4 – De onttrekking van mineralen (in kilo per hectare per jaar)

	Nitraat	*Fosfaat*
Grasland	320 à 345	40 à 120
Mais	185 à 225	80 à 120
Suikerbieten	240	100 à 120
Aardappelen	120	55 à 60
Overige	110 à 140	40 à 70

Zoals blijkt uit tabel 4 zit er een ruime marge op de cijfers. Het is onmogelijk om tot uiterst precieze berekeningen van mineralenbehoeften te komen. Opvallend is voorts dat mais en grasland een behoorlijke dosis kunnen verdragen. Dat is een van de elementen die verklaren waarom de oppervlakte mais de laatste tijd flink gestegen is. In totaal neemt mais nu al zo'n 150 000 hectare in.

4
HET MESTACTIEPLAN (MAP)

Er is een onevenwicht gegroeid: het aantal dieren is voortdurend gestegen, terwijl de oppervlakte landbouwgrond waarop hun mest kan worden verspreid, steeds maar daalt. Er is echter een enorm verschil van streek tot streek. In Vlaams-Brabant en Limburg bijvoorbeeld is van een mestoverschot geen sprake. Maar in de Westvlaamse gemeente Wingene zijn er gemiddeld 30 varkens per hectare landbouwgrond. Omgerekend levert dat ruim 600 kilogram nitraat en 400 kilogram fosfaat per hectare op. Dat ligt dus flink boven de behoefte aan die meststoffen. In het centrum van West-Vlaanderen, in sommige gemeenten van Oost-Vlaanderen en in gedeelten van de Noorderkempen is er dus duidelijk een probleem.

De problemen worden bovendien alsmaar erger, zoals Luc Vanacker vaststelt in zijn studie *De mestproblematiek in Vlaanderen* (OVAM, Mechelen 1989): "het aantal varkens stijgt het sterkst juist in die gemeenten waar al erg veel varkens worden gehouden, en er dus al een overschot is. In de gebieden waar er relatief weinig varkens worden gehouden, is de stijging minder uitgesproken". Het werd dus duidelijk dat er iets gedaan moest worden aan die lokale mestoverschotten.

EEN DECREET

Opnieuw blijkt hier hoeveel tijd er kan verstrijken tussen het moment dat een probleem voor het eerst onderkend wordt, en het moment waarop de politiek een beleid ontwikkelt om dat probleem op te lossen. Bij het mestprobleem heeft die eerste fase van de beleidscyclus maar liefst twintig jaar geduurd. De allereerste wetenschappelijke studies waarin wordt gewaarschuwd voor de gevolgen van overbemesting, verschenen al begin jaren zeventig. Luc Vanacker maakte later aan de Rijksuniversiteit Gent een doctoraatsverhandeling rond de mestproblemen en in 1989 verscheen de studie *Omgaan met mineralen* van Luc Goeteyn (BBL & Koning Boudewijn Stichting, Brussel).

Er is trouwens ook een steeds grotere internationale druk om tot een degelijk mestbeleid te komen. Er zijn niet alleen de Europese richtlijnen in verband met nitraatvervuiling, er zijn ook de afspraken tussen de oeverstaten van de Noordzee. Op de Derde Noordzeeconferentie (Den Haag, 7-8 maart 1990) werd namelijk beslist de vervuiling van de Noordzee drastisch te verminderen. Ook België heeft in Den Haag beloofd de vervuiling door nitraten en fosfaten tegen 1995 met de helft te verminderen ten opzichte van 1985. Het lijkt uitgesloten dat dat streefdoel inderdaad wordt gehaald. Maar België heeft nu in elk geval de internationale verplichting de vervuiling van de Noordzee door de Belgische rivieren zeer sterk te beperken.

Een eerste voorstel om het probleem aan te pakken door een mestdecreet werd al in juli 1987 ingediend door de toenmalige minister van Leefmilieu Jan Lenssens (CVP). De tekst werd overgenomen door zijn opvolger Theo Kelchtermans (CVP) en werd uiteindelijk op 23 januari 1991 goedgekeurd door de Vlaamse Raad (*Belgisch Staatsblad* 28 februari 1991). Het Mestdecreet is in werking getreden op 1 maart 1991. Het hele Mestactieplan (MAP) waarover het afgelopen jaar zoveel te doen is geweest, is eigenlijk niet meer dan een uitvoering van dit Mestdecreet.

Het gaat hier duidelijk om een kaderdecreet: de tekst ervan legt enkele algemene krachtlijnen vast voor het beleid. De precieze details moeten dan later worden uitgewerkt door de regering. Dat gebeurt dan meer specifiek in het Mestactieplan.

REGELTJES

Het Mestdecreet zorgt ten eerste voor een juridisch kader: mest wordt voortaan een produkt dat aan een heleboel regeltjes onderworpen is. Landbouwers moeten bijhouden hoeveel mest er geproduceerd wordt op hun bedrijf en hoeveel er weer verspreid wordt. Dat lijkt allemaal eenvoudig, maar om zo'n administratie op te zetten, moet je toch een heleboel regels en ambtenaren hebben.

Om te beginnen zijn er de mestproducenten: de boeren moeten noteren hoeveel stuks vee ze hebben en dat cijfer meedelen aan de administratie. Zelfs deze bepaling kreeg al heel wat kritiek. Elk jaar, op 15 mei, krijgen de boeren immers al de jaarlijkse landbouwtelling op hun dak, waarbij ze ook al die gegevens moeten meedelen. Voor veel landbouwers is het niet zo duidelijk waarom ze twee keer per jaar een hele hoop formulieren moeten invullen, met net dezelfde gegevens.

De landbouwers moeten ook bijhouden wat ze met hun mest doen. Ze moeten nauwkeurig opgeven hoeveel grond ze bewerken en welke teelten ze daarop verbouwd hebben. Bovendien moeten ze noteren van wie ze eventueel mest hebben aangekocht of bij wie ze hun overtollige mest hebben afgezet. Kortom: er is een hele boekhouding nodig en al die gegevens moeten ook nog eens aan de overheid worden meegedeeld. Veel landbouwers zijn niet te spreken over al die formulieren. Vooral de wat oudere landbouwers zijn ook helemaal niet vertrouwd met al die administratieve rompslomp. De meerderheid van de landbouwbedrijven werkt trouwens ook nu nog zonder boekhouding. In tegenstelling tot sommige andere categorieën zelfstandigen zijn ze daartoe ook niet verplicht. Het ministerie van Financiën werkt in dat geval met een forfaitaire regeling: men neemt aan dat, in een bepaalde landbouwstreek, een hectare ongeveer zoveel opbrengt en zo wordt dan het belastbaar inkomen van de landbouwer berekend.

MESTOVERSCHOT

Aan de hand van de gegevens die door de landbouwer worden verstrekt kan men dan aan het rekenen slaan. Hoeveel mest produceren de dieren van het bedrijf? Hoeveel kunstmest is daar nog bij gekomen? Rekening houdend met de oppervlakte en de teelt, hoeveel mest heeft de boer maximaal kunnen uitstrooien? En het saldo van de hele oefening is dan het mestoverschot: de hoeveelheid mest die de landbouwer over heeft. Voor alle duidelijkheid: het gaat hier om een boekhoudkundige berekening. Als een boerderij een mestoverschot heeft van vijf ton, betekent dat niet noodzakelijk dat er ergens op het bedrijf vijf ton mest ligt. Het betekent wel dat er vijf ton mest zou moeten liggen, als de landbouwer zich aan de norm had gehouden. In werkelijkheid kan het natuurlijk zijn dat die vijf ton toch is verspreid en via het regenwater is weggespoeld en zo in het leefmilieu is terechtgekomen.

Er komt ook een systeem van heffingen op de geproduceerde mest. Oorspronkelijk had minister De Batselier daarbij geopteerd voor een jaarlijkse opbrengst van 200 miljoen frank. Dat zou dan voldoende zijn geweest om de Mestbank te laten draaien, onder het motto: "De vervuiler betaalt de werking van de controleur". Maar onder druk van de boerenorganisaties besliste de Vlaamse regering op 19 juli 1994 de jaarlijkse opbrengst te laten dalen tot 140 miljoen frank. De ontbrekende 60 miljoen wordt bijgepast uit de milieuheffingen die door particulieren en bedrijven worden betaald.

BEPERKINGEN

Artikel 15 van het decreet bepaalt dat er strengere beperkingen komen in zones die speciale bescherming verdienen. Het gaat dan om gebieden waar drinkwater wordt gewonnen of waarin zich een waardevol natuurgebied bevindt. De Vlaamse regering is er echter nog altijd niet in geslaagd een lijst op te stellen van die gebieden. De landbouworganisaties willen een zo kort mogelijke lijst, terwijl de natuur- en milieubeweging zoveel mogelijk kwetsbare gebieden wil beschermen. De Vlaamse regering heeft in juli 1994 wel beslist dat in principe zo'n 110 000 hectare (of 8 procent van het Vlaamse grondgebied) hiervoor in aanmerking komt. Maar een definitieve lijst zal pas worden opgesteld na nieuw overleg met de betrokken groepen.

Het Mestdecreet bevat nog een aantal andere beperkingen. Zo mag men geen mest uitrijden op besneeuwde of bevroren grond, of tussen 2 november en 15 februari. Bovendien moet de mest binnen 24 uur ingeploegd worden, om zo de vorming van ammoniak te vermijden. Op die manier wordt de produktie van zure neerslag enigszins beperkt. Het ideaal blijft echter dat de mest rechtstreeks in de bodem wordt geïnjecteerd, zodat elk contact met de buitenlucht wordt uitgeschakeld.

DE MESTBANK

Het zal duidelijk zijn dat de hele reglementering rond de mest een hoop papierwerk met zich brengt. Heel die administratie is in handen van de Mestbank, een afdeling van de Vlaamse Landmaatschappij. De Mestbank krijgt alle formulieren binnen en voert alle berekeningen uit. Op termijn is het de bedoeling dat de Mestbank een soort draaischijf wordt, zodat de overschotten van het ene bedrijf naar een ander bedrijf kunnen worden vervoerd waar men nog wat extra mest kan gebruiken. Vraag en aanbod kunnen op die manier beter op elkaar afgestemd worden. Maar het is ook de taak van de Mestbank de vraag naar dierlijke mest te stimuleren. Dat kan bijvoorbeeld gebeuren door het opzetten van proefprojecten rond de verwerking van mest. De Mestbank bestudeert ook de mogelijkheid om mest uit te voeren naar landen waar een tekort is aan meststoffen.

Er wordt ook gezocht naar methoden om de mestproduktie op andere manieren te beperken. Dat kan bijvoorbeeld door een andere samenstelling van het veevoeder, waardoor de uitwerpselen van de dieren minder fosfaten en nitraten bevatten.

DE STUURGROEP

Door het Mestdecreet wordt ook een "Stuurgroep Vlaamse Mestproblematiek" opgericht. Het is de taak van de stuurgroep de concrete uitvoering van het decreet te begeleiden. De belangrijkste opdracht van de stuurgroep is dan ook de uitwerking van jaarlijkse Mestactieplannen. Zoals we straks zullen zien is er van dat "jaarlijks" tot nu toe nog niet veel terechtgekomen. De stuurgroep stelt ook eventuele wijzigingen voor aan de bemestingsnormen en geeft advies in verband met specifieke, lokale beperkingen. Zo kan het noodzakelijk zijn om in de buurt van een natuurreservaat of bij een gebied waar drinkwater wordt opgepompt, nog strengere normen af te kondigen.

De stuurgroep heeft 18 leden:
- 2 ambtenaren van de Mestbank zijn ambtshalve lid;
- 4 afgevaardigden van de landbouworganisaties;
- 4 afgevaardigden van de milieubeweging;
- 4 afgevaardigden van vakbonden en werkgevers (ABVV, ACV, NCMV, VEV);
- 4 deskundigen uit de wetenschappelijke wereld.

EEN ACTIEPLAN

De stuurgroep moet elk jaar een actieplan opstellen om de algemene principes van het decreet te vertalen in een concreet beleid. Een eerste ontwerpplan werd op 17 juli 1992 overhandigd aan minister De Batselier (SP), die intussen Kelchtermans had opgevolgd op Leefmilieu. De Batselier vond de tekst echter niet goed: te theoretisch en te weinig concrete oplossingen, oordeelde de minister. Bovendien werd in het ontwerp te eenzijdig de nadruk gelegd op het lange-afstandstransport van lokale mestoverschotten.

De Batselier gaf daarop de opdracht een nieuw actieplan uit te dokteren. Dat nieuwe document was op 1 juni 1993 klaar. Het stuitte onmiddellijk op fel protest van de Boerenbond, die stelde dat over deze voorstellen niet te praten viel. De Batselier kwam daarop met een lichtjes gewijzigde versie van het ontwerp-plan, dat volgens de Boerenbond wel bespreekbaar was. Het is dit document waarrond de hele controverse draait. Het werd op 29 september 1993 goedgekeurd door de Vlaamse regering, na een bitse politieke strijd, waarbij De Batselier op een gegeven ogenblik zelfs met ontslag dreigde. Het leek er eventjes op dat het pleit toen beslecht was en krantecommentaren hadden het over een politieke overwinning van De Batselier en de milieubeweging. Maar in werkelijkheid was dat nog maar het begin van de lijdensweg van het plan.

ONDERHANDELINGEN

Op 1 december 1993 beslisten CVP en SP de onderhandelingen over de uitvoering van het plan opnieuw te openen. Het was vooral de bedoeling een soepele regeling uit te werken voor de kleine gezinsbedrijven. In afwachting werd de uitvoering van het MAP met vier maanden uitgesteld. Die deadline werd niet gehaald en het was trouwens niet de eerste keer dat een afgesproken planning in dit dossier niet werd gerespecteerd.

Ook nu nog gaan de gesprekken trouwens over het eerste actieplan, dat voor 1992 was bedoeld. Eigenlijk zouden we nu al bezig moeten zijn met het vierde actieplan. In december 1993 werd nog aangekondigd dat de nieuwe onderhandelingen enkel over het gezinsbedrijf zouden gaan, maar ongemerkt kwam het hele MAP opnieuw ter discussie te staan. De beslissing van 29 september 1993 werd op die manier compleet uitgehold. De nieuwe gesprekken met de landbouworganisaties leverden echter geen concreet resultaat op, zodat het hele dossier eind mei 1994 opnieuw op de tafel van de politici terechtkwam. De Batselier en de voorzitter van de Vlaamse regering, Luc Van den Brande (CVP), stonden erop dat de regering nog voor de zomervakantie van 1994 een nieuwe beslissing zou nemen over het MAP. Mede onder druk van de achterban van de CVP en de Boerenbond had Luc Van den Brande zich opgeworpen als de verdediger van de landbouwbelangen. CVP en SP raakten er echter niet uit voor de laatste vergadering van de Vlaamse regering op 19 en 20 juli 1994.

ONDUIDELIJKHEID

Over drie essentiële punten bleef onenigheid bestaan: de bemestingsnormen, de speciale beschermingszones en de beperkingen op het uitrijden van de mest (art. 14, 15 en 17 van het decreet). De Vlaamse regering besliste dat er over die drie punten nieuw overleg komt met de drukkingsgroepen in de Sociaal-Economische Raad voor Vlaanderen en de Milieu- en Natuurraad (MiNa-Raad). De beslissing wordt hierdoor ten minste tot eind 1994 uitgesteld, en in werkelijkheid wordt dat waarschijnlijk 1995. Sommige politieke waarnemers zagen hierin een manoeuvre om deze gevoelige beslissing uit te stellen tot na de gemeenteraadsverkiezingen van 9 oktober 1994.

Heel het MAP zit daardoor in een dubbelzinnige situatie. Het plan werd op 29 september 1993 goedgekeurd door de Vlaamse regering en als dusdanig is het een rechtsgeldig beleidsdocument. Maar tegelijk circuleren binnen de Vlaamse regering voortdurend nieuwe plannen, die echter nog geen van alle definitief zijn goedgekeurd. Een aantal wijzigingen aan het decreet zelf moeten trouwens nog worden voorgelegd aan de Vlaamse Raad. Het maakt er de verwarring rond het hele dossier alleen maar groter op.

GEZINSBEDRIJF

De Vlaamse regering bereikte op 19 juli 1994 wel overeenstemming over een aantal andere punten. Zo kwam er een gunstiger regeling voor de kleine gezinsbedrijven. Het gaat dan om bedrijven die geëxploiteerd worden door de leden van één gezin en die maximaal 1800 varkens ouder dan 10 weken hebben. Deze gezinsbedrijven mogen hun eventuele mestoverschotten gebruiken in de eigen gemeente of in een aangrenzende gemeente. De grote industriële bedrijven daarentegen zullen hun mestoverschot op grotere afstand moeten transporteren. De Vlaamse regering komt hiermee tegemoet aan de verzuchtingen van de landbouworganisaties. Die vreesden dat er als gevolg van het MAP een "jacht op grond" zou losbarsten, waarbij het gezinsbedrijf aan het kortste eind zou trekken. De veebedrijven moeten in de toekomst immers over steeds meer grond beschikken om hun mest op kwijt te raken.

Gezinsbedrijven zijn ook de enige die nog mogen uitbreiden of die met varkensteelt mogen beginnen, telkens tot een maximumgrens van 1350 varkens.

De landbouworganisaties haalden nog op een ander terrein hun slag thuis. Het Vlaamse milieureglement Vlarem bepaalt dat varkenskwekerijen vanaf 200 dieren een hinderlijk bedrijf van klasse 1 zijn. Daardoor moeten ze een veel zwaardere procedure doorlopen om een milieuvergunning te krijgen dan bedrijven van klasse 2. De Vlaamse regering heeft die grens echter verhoogd van 200 naar 1350 varkens. Voor de boeren heeft dat een bijkomend voordeel: klasse 2-vergunningen worden uitgereikt door het college van burgemeester en schepenen, terwijl klasse 1-vergunningen worden uitgereikt door de Bestendige Deputatie van de provincie. Het is een publiek geheim dat in veel landelijke gemeenten de burgemeesters en schepenen niet echt kritisch staan ten opzichte van milieuaanvragen uit de landbouwsector.

NORMEN

Het Mestactieplan gaat ervan uit dat er in Vlaanderen een overschot is van ongeveer 8 miljoen ton mest. 6 miljoen daarvan is afkomstig van varkens, 1 miljoen van runderen en nog eens 1 miljoen van andere dieren (kippenkwekerijen bijvoorbeeld). Maar het MAP is vooral gericht op de intensieve varkensteelt.

Het Mestactieplan legt ten eerste de bemestingsnormen vast. Ze vormen een compromis tussen de landbouwkundige normen en de milieukundige normen, en volgen grotendeels het buitenlandse voorbeeld. Vooral het Nederlandse mestbeleid heeft hier als inspiratiebron gefungeerd. Het Mestdecreet van 1991 had al voorlopige bemestingsnormen vastgesteld:

- 400 kilogram per hectare voor nitraat;
- 200 kilogram voor fosfaat, als er mais of gras wordt geteeld;
- 150 kilogram fosfaat als er een andere teelt wordt gekweekt.

Merk op dat deze normen een stuk hoger liggen dan hetgeen de teelten onttrekken aan de bodem (tabel 4). Door het Mestactieplan worden die normen geleidelijk strenger, zodat in het jaar 2002 de eindnormen worden bereikt.

Tabel 5 – Mestactieplan: bemestingsnormen voor nitraat (in kilogram per hectare per jaar)

Gewas	*1993*	*1996*	*1999*	*2002*
Gras	400	300	275	250
Mais	400	230	210	170
Gewas met lage behoefte	400	170	130	125
Overige	400	230	210	170

Het gaat wel alleen om de dierlijke mest. Daarnaast wordt natuurlijk ook kunstmest gebruikt, die eveneens nitraat bevat. Ook het gebruik van kunstmest moet volgens het MAP worden beperkt: van 125 à 250 kilogram nitraat per hectare in 1996 tot 70 à 200 kilogram nitraat per hectare in 2002.

Het Mestactieplan bevat daarnaast ook normen voor fosfaat. Ook daar is er een geleidelijke verstrenging.

Tabel 6 – Mestactieplan: bemestingsnormen voor fosfaat (in kilogram per hectare per jaar)

Teelt	*1993*	*1996*	*1999*	*2002*
Gras	200	160	140	120
Mais	200	150	125	100
Gewas met lage behoefte	150	125	100	80
Overige	150	150	125	100

De normen van het MAP liggen dus een stuk hoger dan de hoeveelheid die door de teelt aan de bodem onttrokken wordt. Dat geldt zowel voor fosfaat als voor nitraat. De boerenorganisaties stellen dat deze normen te vlug worden ingevoerd, zodat de bedrijven onvoldoende tijd krijgen om zich aan te passen. Ze pleiten er daarom voor de eindnormen niet in 2002 te laten ingaan, maar pas in 2011. Minister De Batselier antwoordt hierop dat het hier enkel gaat om een vertragingsmanoeuvre. Bovendien bepaalt het Mestdecreet zelf (art. 31 §2, 2°) dat de eindnormen op 1 januari 2001 bereikt moeten worden. Het is juridisch onmogelijk de bepalingen van een decreet dat door de Vlaamse Raad werd goedgekeurd, te wijzigen met een besluit van de Vlaamse regering, zoals het MAP. Toch bleek uit de laatste onderhandelingsronde dat ook deze normen allicht nog versoepeld zullen worden, via een wijziging van het decreet.

ZWART, WIT EN GRIJS

De grote nieuwigheid van het MAP is echter dat het die abstracte normen koppelt aan een concreet vestigingsbeleid. Het heeft volgens De Batselier weinig zin allerlei normen af te kondigen, als tegelijk het aantal varkens maar blijft stijgen. Om zo'n vestigingsbeleid mogelijk te maken, wordt Vlaanderen door het MAP ingedeeld in witte, grijze en zwarte gemeenten. Er komen geen uniforme normen voor heel Vlaanderen, maar er komt een variatie naargelang de categorie van de gemeente. Op de kaart worden 108 zwarte gemeenten afgebakend, waar de strengste normen gelden. Er zijn ook 104 witte gemeenten, waar er helemaal geen overschot is. En ten slotte zijn er ook nog 96 grijze gemeenten, die er keurig middenin zitten (zie kaart volgende pagina).

Deze indeling in witte, grijze en zwarte gemeenten lijkt wat ingewikkeld en dat maakt het MAP inderdaad wat onoverzichtelijk. Maar er zit wel degelijk een logica in. In de eerste MAP-voorstellen was er nog sprake van algemene normen, voor heel Vlaanderen. Maar in de praktijk zou dat een soort vrijbrief zijn

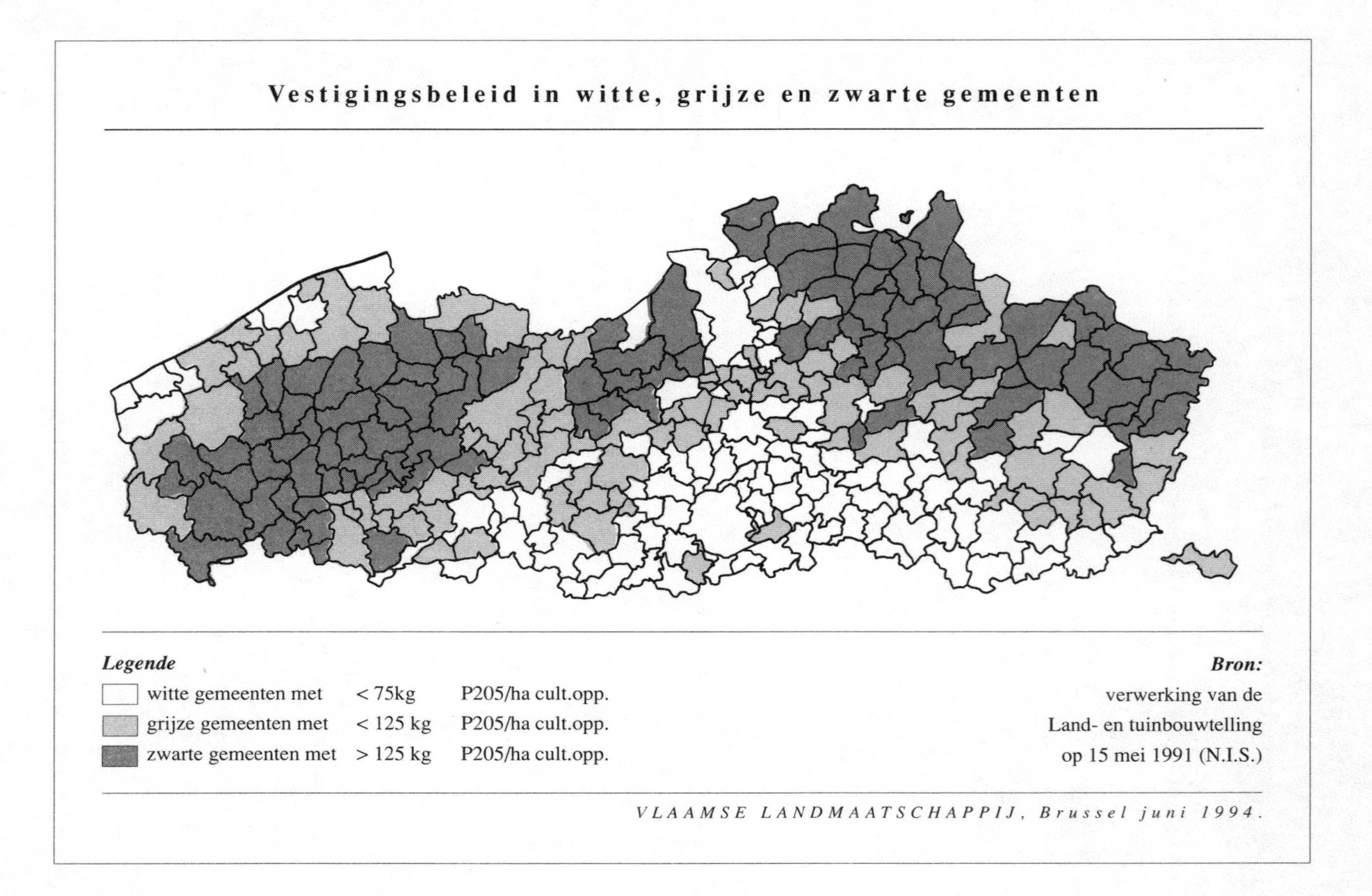
Vestigingsbeleid in witte, grijze en zwarte gemeenten
Legende
witte gemeenten met < 75kg P205/ha cult.opp.
grijze gemeenten met < 125 kg P205/ha cult.opp.
zwarte gemeenten met > 125 kg P205/ha cult.opp.
Bron:
verwerking van de
Land- en tuinbouwtelling
op 15 mei 1991 (N.I.S.)
VLAAMSE LANDMAATSCHAPPIJ, Brussel juni 1994.

voor de varkenskwekers om ook in die streken waar er nog geen probleem is, het aantal varkens uit te breiden tot de norm is bereikt. Het resultaat van een dergelijk plan zou dus zijn dat er meer vervuiling komt en dat is uiteraard niet de bedoeling. Vandaar dat minister De Batselier geopteerd heeft voor verschillende normen, naargelang de gemeente. Het is de bedoeling dat de toestand verbetert in de zwarte gemeenten, zonder dat er een verslechtering komt in de witte en grijze gemeenten. Wel besliste de Vlaamse regering op 19 juli 1994 dat het aantal dieren nog mag stijgen in de witte en grijze gemeenten. In de witte gemeenten mag de mestproduktie zelfs nog stijgen met 38 procent. Maar dat moet gecompenseerd worden door een vermindering in de zwarte gemeenten, zodat de totale fosfaatproduktie in Vlaanderen niet stijgt boven het niveau van 15 mei 1992. Natuurbeschermers zien hierin een achterpoortje: als de landbouwsector erin slaagt het fosfaatgehalte van de mest te verminderen (door bijvoorbeeld het voeder te veranderen), mag het aantal dieren stijgen, zodat de vervuiling met nitraat nog erger wordt.

VESTIGING

Het MAP bevat ook regels in verband met de vestiging van veebedrijven. Het is juist op dit vestigingsbeleid dat de felste kritiek is gekomen van de landbouworganisaties. Deze regels zullen op termijn inderdaad leiden tot een daling van de varkensstapel en het aantal varkensbedrijven.

Om te beginnen is er een algemene maatregel: het is voortaan verboden nog nieuwe bedrijven te starten als men geen boerderij heeft. Dit verbod geldt zowel voor de witte, de grijze als de zwarte gemeenten. De tijd dat men bij wijze van spreken in de achtertuin een loods kon bouwen en daarin 100 varkens kweken, is voorbij. In de zwarte gemeenten wordt het bovendien verboden een nieuwe stal te bouwen, ook als men eigenlijk al een boerderij heeft.

Maar er is meer. De bestaande milieuvergunningen vervallen na maximum twintig jaar. Tegen het jaar 2014 moeten alle grote veeteeltbedrijven dus een nieuwe vergunning aanvragen en ook voor het vernieuwen van die vergunning komen er strengere regels. In principe zal men slechts een nieuwe vergunning krijgen als men kan aantonen dat het bedrijf grondverbonden is. Hiermee wordt bedoeld dat de landbouwer moet kunnen aantonen dat hij/zij over voldoende grond beschikt om de geproduceerde mest te kunnen verspreiden. Dat hoeft niet noodzakelijk de eigen grond te zijn. Men kan ook een contract sluiten met andere boeren om de mest op hun grond te verspreiden. Dat is het subtiele verschil tussen de term "grondgebondenheid" en de term "grondverbondenheid". Bij grondgebondenheid beschikt de veekweker zelf over voldoende grond; bij grondverbondenheid kan het ook over grond van anderen gaan, met wie men een contract heeft. Als men grondverbondenheid eist, is dat dus een wat soepeler voorwaarde dan grondgebondenheid.

Het volstaat natuurlijk niet dat men over gelijk welke oppervlakte kan beschikken. De Mestbank zal zeer precies uitrekenen hoeveel nitraten en fosfaten door de aanwezige dieren worden geproduceerd en over hoeveel oppervlakte men moet beschikken om die mest, volgens de normen, te kunnen verspreiden. Door het feit dat die normen geleidelijk strenger worden, zal men dus ook steeds meer oppervlakte nodig hebben om die grondverbondenheid aan te tonen. Als men met de huidige normen bijvoorbeeld 15 hectare nodig heeft om de grondverbondenheid aan te tonen, kan dat in 2002 oplopen tot 30 hectare.

Bij dit geheel van vestigingsregels zijn er wel nog een aantal sociale bepalingen voor jonge en kleine bedrijven. Het is vooral de bedoeling het aantal grote bedrijven die zelf geen grond hebben, te laten dalen. Bovendien geldt dit systeem van grondverbondenheid alleen voor de kleinere gezinsbedrijven met minder dan 1800 varkens. De grotere industriële bedrijven moeten hun toevlucht nemen tot verwerking van het mestoverschot, of tot transport op lange afstand (bijvoorbeeld van West-Vlaanderen naar Vlaams-Brabant).

PROTEST

De vestigingsnormen hebben dus geen onmiddellijk effect: het is niet zo dat onmiddellijk bedrijven weg moeten in de zones waar nu al veel varkens zitten. Maar in de loop van de komende twintig jaar zou het aantal varkens in de concentratiegebieden daardoor wel langzaam moeten dalen. Volgens minister De Batselier is die termijn van twintig jaar, in combinatie met de begeleidende maatrelen voor jonge en kleine bedrijven, voldoende om de bedrijven in staat te stellen zich aan te passen aan de nieuwe regelgeving.

Toch kwam er van landbouwzijde erg veel kritiek op die vestigingsregels. Volgens de Boerenbond zullen er daardoor zo'n 10 000 bedrijven verdwijnen. De landbouwers wijzen ook op de kosten die verbonden zijn aan het mestbeheer. Om te beginnen zijn er de investeringen voor de opslag van mest op het bedrijf. Het bouwen van een degelijke tank (lekdicht en geurdicht!) kan behoorlijk wat kosten. Er moeten ook vrachtwagens en tractoren komen die het mestoverschot kunnen transporteren.

Het MAP is in dit opzicht wel soepeler voor wat men de "uitbollende bedrijven" noemt. Dat zijn de boerderijen van een oudere landbouwer die geen opvolger heeft. Het gaat hier niet om een marginaal probleem: tienduizenden landbouwers hebben niemand om het bedrijf later over te nemen, omdat de jongeren niet meer zo happig zijn op de boerenstiel. Het heeft uiteraard geen zin dat een landbouwer van zestig jaar nog miljoenen zou uitgeven voor een mesttank.

Door allerlei voordelen toe te kennen aan het gezinsbedrijf, wil men vooral de "verticale integratoren" aanpakken. Veel van de varkenskwekers zijn namelijk enkel in naam zelfstandig, maar zijn in werkelijkheid met handen en voeten gebonden aan een bepaald bedrijf. Bij sommige bedrijven is die verticale integratie zeer ver gevorderd. Het bedrijf produceert varkensvoer, dat het dan verkoopt aan de varkenskweker. Datzelfde bedrijf koopt dan alle varkens op en brengt ze naar het slachthuis, dat soms ook eigendom is van dezelfde groep. De hele cyclus, van varkensvoer tot sneetjes ham, is dus in handen van één groep.

In de praktijk is het echter bijzonder moeilijk om die verticale integratie aan te pakken. Vaak doen ze immers een beroep op een nepstatuut van zelfstandige. En wie kan een onderscheid maken tussen de echte zelfstandige, die dan een gezinsbedrijf heeft, en de nepzelfstandige, die gebonden is aan een firma? Het kan immers ook "toevallig" zijn dat men steeds van dezelfde firma voer koopt en steeds aan dezelfde handelaar varkens verkoopt. Het toezicht op de naleving van de notie "gezinsbedrijf" belooft dus nog een hele klus te worden.

5
MEER NATUUR MET DE GROENE HOOFDSTRUCTUUR?

Er was de afgelopen maanden niet alleen het conflict rond de invoering van het Mestactieplan. Milieubeweging en landbouworganisaties stonden ook tegenover elkaar in verband met de invoering van de "Groene Hoofdstructuur". Dat is een lelijke uitdrukking voor een overheidsplan om de natuur in Vlaanderen beter te beschermen. De landbouworganisaties vrezen dat er meer oppervlakte naar natuurbescherming zal gaan en dat zij daardoor landbouwgrond zullen moeten inleveren. Maar volgens de milieubeweging is daar niets van aan. Landbouw en leefmilieu kunnen perfect naast elkaar bestaan, zeggen zij, maar dan wel een ander soort landbouw.

DE SCHAARSE NATUUR

Een betere bescherming van de natuur in het Vlaams Gewest is ook wel hard nodig. In vergelijking met andere landen hebben wij zeer weinig reservaten.

Dat heeft ten dele te maken met het feit dat Vlaanderen zo'n dicht bevolkt gebied is: 427 inwoners per vierkante kilometer. Maar daarnaast is het ook een kwestie van prioriteiten: in een land als Nederland, dat even dicht bevolkt is, maakt men tien keer méér ruimte vrij voor natuurbescherming dan hier in Vlaanderen. Bij onze noorderburen is ruim 7 procent van de totale oppervlakte beschermd als natuurreservaat; bij ons is dat nauwelijks 0,7 procent!

Alles samen is in Vlaanderen niet meer dan 9000 hectare (of 90 vierkante kilometer) beschermd als natuurreservaat. Ongeveer één derde daarvan is in het bezit van het Vlaams Gewest. Het gaat meestal om relatief grote gehelen. Typevoorbeelden zijn de Kalmthoutse Heide (914 ha), de Tenhaagdoornheide in Houthalen-Helchteren (357 ha) of de Westhoek in De Panne (340 ha). Er zijn ook veel natuurreservaten in handen van privé-eigenaren. De v.z.w. Natuurreservaten (de Vlaamse afdeling van de Belgische Natuur- en Vogelreservaten, BNVR) is de grootste beheerder. Bekende reservaten zijn hier bijvoorbeeld De Blankaart bij Diksmuide of de Maten in Genk-Diepenbeek. Ook De Wielewaal beheert een flink aantal natuurgebieden, zoals bijvoorbeeld het gebied rond Fort 7 bij Antwerpen. Daarnaast zijn er nog een heleboel kleinere reservaatbeheerders. Zo beheert de v.z.w. Durme de 75 hectare van het Molsbroek bij Lokeren. Het stadsbestuur van Gent staat in voor de Bourgoyen-Ossemeersen (160 ha) en de Koninklijke Maatschappij voor Dierkunde (beter bekend als de Zoo van Antwerpen) is eigenaar van de Zegge in Geel. Al die beheerders krijgen subsidies van het Vlaams Gewest voor het verwerven en onderhouden van hun reservaten.

VERSNIPPERING

Er zijn dus wel een aantal reservaten, maar die zijn zeer versnipperd. Het gaat telkens om kleine, afgezonderde gebiedjes, die vaak te midden van woonzones of van gebieden met intensieve landbouw liggen. Het kleinste reservaat van ons land, Orchis in Bornem, is zelfs maar een halve hectare groot. Die reservaten zijn natuurlijk erg waardevol, maar ze zijn onvoldoende om tot een effectieve bescherming van de natuur te komen. Veel planten en dieren hebben namelijk een ruime biotoop nodig om in optimale omstandigheden te kunnen leven. Het heeft bijvoorbeeld geen zin om rond de plaats waar een das woont, een hectare af te bakenen als reservaat. Zo'n dier heeft een veel groter gebied nodig. Bovendien, als het dier zich wil voortplanten, moet het in contact komen met soortgenoten. Als het alleen kan voortleven in kleine reservaatjes, waar maar plaats is voor bijvoorbeeld één of twee dassen, komt er hiervan weinig terecht. Om van het ene reservaat naar het andere te komen, moet je vaak over snelwegen of door industriezones, en voor de meeste dieren zijn dat onoverkomelijke hindernissen. Het gevolg is dat de populatie wordt gereduceerd tot enkele geïsoleerd levende individuen.

Vandaar dat bij natuurbeschermers al langer de wens leefde om al die kleine reservaatjes op de een of andere manier met elkaar te verbinden, om er een soort structuur in te brengen. En dat heeft geleid tot het niet direct voor de hand liggende concept: "Groene Hoofdstructuur".

KELCHTERMANS

De discussie over de Groene Hoofdstructuur is pas het afgelopen jaar losgebarsten, terwijl de eerste plannen toch al meer dan vier jaar oud zijn. In februari 1990 presenteerde de toenmalige minister van Leefmilieu Theo Kelchtermans (CVP) namelijk zijn "Milieubeleidsplan en Natuurontwikkelingsplan voor Vlaanderen", kortweg MiNa-plan. Vooral het milieugedeelte van het MiNa-plan kreeg toentertijd de meeste aandacht. Niet te verwonderen ook. Op de eerste plaats was het beter uitgewerkt: zo'n 400 pagina's, tegenover 100 pagina's voor het natuurgedeelte. Maar daarnaast bevatte het milieugedeelte ook enkele ingrijpende beslissingen, zoals het reorganiseren van de waterzuivering door de N.V. Aquafin.

Het natuurontwikkelingsplan kreeg minder aandacht, maar was toch behoorlijk ambitieus. Om te beginnen nam de minister van de milieubeweging de gedachte over dat we niet langer kunnen volstaan met een defensief natuurbeleid, maar dat we naar een offensief natuurbeleid moeten evolueren. Zoals Kelchtermans het zelf uitdrukt: "Wij mogen niet dulden dat natuur opgesloten blijft in reservaten en dat daarbuiten een ecologisch leeg landschap verder groeit."

Het gaat hier om een heel nieuwe gedachte. Tot nu was men in het natuurbeheer vooral gericht op het verdedigen van wat nog resteert. Men probeerde hetgeen overblijft zo goed mogelijk te vrijwaren, tegen steeds nieuwe gebiedsaanspraken van bewoning, landbouw, industrie en verkeer. Maar binnen de v.z.w. Natuurreservaten, die hierrond heel wat werk heeft gedaan, gaat men ervan uit je de natuur niet mag laten opsluiten in enkele reservaatjes. De natuur moet nieuw terrein veroveren: de natuur die nog over is buiten de reservaten moet actief ontwikkeld worden, zodat de versnipperde reservaatjes uiteindelijk geïntegreerd kunnen worden in de befaamde Groene Hoofdstructuur. Een offensief natuurbeleid, met andere woorden.

Deze gedachte is voor veel mensen nog nieuw: men gaat ervan uit dat als een gebied eenmaal verknoeid is door menselijke inmenging, het dan definitief verloren is voor de natuur. Maar dat klopt niet: in enkele tientallen jaren kun je van een woestenij opnieuw een waardevol natuurgebied maken. Vaak volstaan enkele eenvoudige ingrepen, zoals het stoppen van overbemesting of het opnieuw laten stijgen van de grondwaterspiegel.

HIËRARCHIE

De Groene Hoofdstructuur is opgebouwd als een soort hiërarchie. Bovenaan heb je de kernen, die ecologisch het waardevolst zijn, en die dan ook het strengst beschermd worden. Daaronder staan de ontwikkelingsgebieden, waar nog een inspanning moet gebeuren, maar waar anderzijds meer door de vingers kan worden gezien. Daartussen heb je verbindingsgebieden, of corridors, die ervoor moeten zorgen dat plante- en diersoorten zich van het ene natuurgebied naar het andere kunnen bewegen. En, waar dat nodig is, heb je daarrond nog een buffergebied, om de natuur te beschermen tegen al te opdringerige invloeden.

Concreet valt Kelchtermans' concept van de Groene Hoofdstructuur dus uiteen in vier onderdelen.

1. *De natuurkerngebieden* Meestal gaat het om grotere gebieden als bossen, reservaten of valleien van beken. De bestaande reservaten worden automatisch een kerngebied. Zo'n kerngebied moet voldoende groot zijn; daarom wordt 500 hectare hier als streefcijfer vooropgesteld. In deze kerngebieden draait alles rond het behoud van de natuur en andere activiteiten (landbouw, recreatie enz.) worden alleen geduld als ze hiermee verenigbaar zijn.

2. *De natuurontwikkelingsgebieden* Zij hebben vooral een grote potentiële waarde. Er moet met andere woorden actief worden ingegrepen om flora en fauna die er nu al in aanwezig zijn tot ontwikkeling te brengen. Zo'n ontwikkelingsgebied kan daardoor op termijn evolueren naar een kernge-

bied. Het natuurbehoud moet hier wel het terrein delen met andere functies (bewoning, landbouw enz.). De bescherming is hier dus veel minder streng dan in de kerngebieden.

3. *De natuurverbindingsgebieden* Deze moeten het mogelijk maken een verbinding te maken tussen de eigenlijke natuurgebieden. Als twee reservaten gescheiden worden door bijvoorbeeld een autosnelweg en een kale landbouwvlakte, is er nauwelijks uitwisseling mogelijk. De verbinding kan de vorm aannemen van een houtwal, een bomenrij of een beek of moeras. Deze gebieden behouden dus grotendeels hun eerdere bestemming.

4. *De natuurbuffergebieden* Deze gebieden liggen rond de eigenlijke natuurgebieden. Vaak zijn ze zelf niet zo waardevol, maar ze beschermen wel het kerngebied. Zo zal het vlak naast een reservaat verboden worden om te veel mest te gebruiken, omdat het overschot toch doorsijpelt naar het reservaat. Ook het oppompen van grondwater of allerlei lawaaierige activiteiten horen niet thuis in een buffergebied.

HOEVEEL NATUUR?

De cijfers die door Kelchtermans in 1990 naar voren werden geschoven, zijn nog zeer ruwe schattingen. De minister gaat ervan uit dat er zo'n 20 000 hectare kerngebieden nodig zijn, 40 000 hectare ontwikkelingsbieden, 9000 hectare verbindingsgebieden en 3200 hectare buffergebieden. Een totaal dus van 72 200 hectare Groene Hoofdstructuur. De minister hoopte die structuur reeds tegen 1994 te kunnen realiseren. Maar zoals we nu weten, is daar dus nog niets van terechtgekomen. Net zoals bij de mestproblematiek, lijkt het wel een constante: het ontwikkelen van milieubeleid heeft tijd nodig, en telkens duurt het veel langer dan men eerst had gedacht. Zolang het bij woorden en plannen blijft, is iedereen gewonnen voor een beter leefmilieu. Maar zodra men die plannen wil gaan uitvoeren, blijkt dat daarbij allerlei gevestigde belangen in het gedrang komen, en dan begint het hele soebatten. Het gevolg is uiteindelijk dat het jaren duurt voor er iets concreets uit de bus komt – als dat al gebeurt.

Die 72 000 hectare lijkt een behoorlijke oppervlakte: het gaat om zowat 5,3 procent van de oppervlakte van het Vlaams Gewest, maar daarmee bereiken we nog niet eens het niveau van onze buurlanden. Bovendien mag men niet vergeten dat het hier niet om nieuwe gebieden gaat: flinke stukken van die 72 000 hectare genieten nu al een of andere vorm van bescherming. Er zijn om te beginnen de bestaande reservaten, maar dat is alles bij elkaar goed voor minder dan 10 000 hectare. Maar daarnaast zijn er ook grotere oppervlakten die geen reservaat zijn, maar die wel een speciale bescherming genieten, vooral dan in het kader van internationale milieuafspraken. Zo is er de Europese vogelrichtlijn uit 1979, die stelt dat elke lidstaat gebieden moet afbakenen waar de vogelpopulaties extra beschermd worden. Voor Vlaanderen zijn dat 23 gebieden, zoals de omgeving van Bokrijk, de IJzervallei, het Zwin of het Oostvlaamse krekengebied. Daarnaast is er ook nog de internationale overeenkomst van Ramsar (1971) ter bescherming van de watervogels. In het Vlaams Gewest genieten zeven zones bijzondere bescherming door deze overeenkomst, zoals de Scheldeschorren bij Doel, Lillo en Zandvliet, of de Blankaart in Woumen bij Diksmuide.

Wanneer je dan nog rekening houdt met het feit dat ook in het gewestplan al een serieuze oppervlakte groen is ingekleurd, dan zien we dat de Groene Hoofdstructuur in feite vooral een integratie is van wat reeds beschermd is, eerder dan een echte gebiedsuitbreiding.

LIJDENSWEG

Vanaf 1990 begint de lijdensweg van de Groene Hoofdstructuur. In maart 1991 kwam Kelchtermans met zijn eerste concretere plannen. Maar reeds in juni kreeg hij repliek van de Serv, de Sociaal-economische Raad voor Vlaanderen. De Serv vond het allemaal maar een beetje vaag en stelde dat de minister duidelijk moest maken wat de concrete gevolgen zouden zijn van bepaalde indelingen: welke economische activiteit is er nog mogelijk in bijvoorbeeld een ontwikkelingsgebied of in een buffergebied?

Ook de MiNa-Raad bracht advies uit. De MiNa-Raad (voluit: Milieu- en Natuurraad voor Vlaanderen) is een relatief nieuw adviesorgaan van de Vlaamse regering. Het bestaat uit vertegenwoordigers van de milieubeweging, de werkgevers en werknemers, landbouworganisaties en middenstanders. Een eerste stap werd gezet in februari 1992, toen alle leden van de MiNa-Raad de Richtnota Groene Hoofdstructuur als gespreksbasis aanvaardden. Dat lijkt niet direct indrukwekkend, maar het is toch al een goed begin. De MiNa-Raad kwam echter al onmiddellijk met een aanvulling: het volstaat niet de gebieden af te bakenen, men moet ook geld vrijmaken voor een echt natuurbeleid. Het gaat dan om het aankopen en beheren van de natuurgebieden. Volgens de MiNa-Raad zou het Vlaams Gewest jaarlijks 2 miljard frank moeten vrijmaken voor het offensieve natuurbeleid.

HET MINA-COMPROMIS

De Richtnota bleef enige tijd liggen bij de MiNa-Raad en de gesprekken schoten duidelijk niet zo goed op, ook al omdat Kelchtermans intussen was opgevolgd door Norbert De Batselier (SP).

Toch kwam er uiteindelijk, op 19 januari 1993, een vergelijk tot stand. Alhoewel het toen geen aandacht kreeg in de media, gaat het hier wel degelijk om een historisch compromis tussen milieubeweging en landbouwsector, waardoor de hele verdere discussie over de Groene Hoofdstructuur zal worden bepaald. De deal tussen milieubeweging en landbouwers is eigenlijk eenvoudig: de boeren stemmen in met het feit dat er een Groene Hoofdstructuur komt en in ruil stemt de milieubeweging ermee in dat de beschermde oppervlakte flink wordt verminderd.

De oorspronkelijke 72 000 hectare van 1990 waren immers al flink uitgegroeid; door het MiNa-compromis wordt dat weer serieus ingekrompen. De 150 000 hectare natuurkerngebied, waarvan eerst sprake, worden door de MiNa-Raad teruggebracht tot zo'n 75 000 à 100 000 hectare; bijna een halvering dus. De bijna 200 000 hectare natuurontwikkelingsgebied komen redelijk ongeschonden uit de MiNa-onderhandelingen. Maar er worden wel twee verschillende categorieën ontwikkelingsgebieden gecreëerd. Een eerste groep, van zo'n 25 000 à 50 000 hectare, wordt intensief ontwikkeld en kan tegen het jaar 2007 geëvolueerd zijn tot natuurkerngebied. De landbouw zal hier dus een stap achteruit moeten zetten. Maar de grootste groep, zo'n 150 000 hectare, blijft het statuut van ontwikkelingsgebied behouden, ook na 2007. In deze gebieden blijft er dus, ook in de toekomst, meer landbouw mogelijk.

VERWARRING

Dit MiNa-compromis heeft later voor de nodige verwarring gezorgd. Ten slotte stemde ook de vertegenwoordiger van de Boerenbond in de Raad in met het advies. Toen later de Boerenbond toch felle kritiek formuleerde op de Groene Hoofdstructuur, was dat voor de milieubeweging een reden om de organisatie van woordbreuk te beschuldigen.

Een deel van de verwarring werd allicht veroorzaakt door de kaarten die her en der werden verspreid. Ook eind 1993 werden nog de kaarten verspreid zoals die oorspronkelijk werden opgemaakt door de bevoegde ambtenaren van het Vlaams Gewest. Die kaarten hielden dus geen rekening met het compromis dat bijna een jaar eerder binnen de MiNa-raad was bereikt. Formeel klopt dergelijke werkwijze natuurlijk wel. De minister start een inspraakronde op basis van een uitgewerkt voorstel. Dat plan wordt dan voorgelegd aan de Serv, de MiNa-Raad en ook aan het brede publiek. Iedereen mag zijn zegje doen over datzelfde voorstel. Het is niet omdat, halverwege de inspraakronde, de MiNa-Raad met een heel andere tekst komt, dat het brede publiek niet meer de gelegenheid zou mogen krijgen zich uit te spreken over het oorspronkelijke voorstel. De werkwijze was dus wel correct, maar dat heeft niet belet dat de verschillende kaarten voor heel wat verwarring hebben gezorgd en aanleiding hebben gegeven tot conflicten die eigenlijk niet nodig waren.

De landbouwers die namelijk een kaart in handen kregen waarop hun eigen grond als natuurgebied staat ingekleurd, raakten meteen in paniek. Betekent dat dat hun bedrijf moet verdwijnen? Vooral in het najaar van 1993 liepen de spanningen hoog op. De informatievergaderingen die door minister De Batselier werden georganiseerd, liepen uit de hand toen de ambtenaren die de uitleg kwamen geven, bedreigd werden door boze boeren. De Batselier besloot daarop maar te stoppen met de vergaderingen, omdat hij de veiligheid van zijn ambtenaren niet meer kon garanderen.

Een groot misverstand bestaat er ook over wat precies mag en niet mag in een natuurkerngebied of een -ontwikkelingsgebied. Veel landbouwers denken dat ze hun biezen moeten pakken, zodra hun grond groen ingekleurd staat. De natuurbeweging haast zich om te stellen dat dat helemaal niet waar is: zelfs in de kerngebieden kan nog aan landbouw worden gedaan, zij het met zekere beperkingen. De natuurbeheerder en de landbouwer sluiten daarover dan een beheersovereenkomst. Vaak staat daarin dat slechts een bepaalde hoeveelheid mest mag worden gebruikt, en dat slechts op bepaalde data mag worden gemaaid. De v.z.w. Natuurreservaten verwijst bijvoorbeeld naar het waardevolle natuurgebied de Bourgoyen-Ossemeersen in Gent. Ook midden in het reservaat wordt nog aan landbouw gedaan, zij het wel onder strikte voorwaarden. Het is natuurlijk wel zo dat deze vorm van landbouw minder hoge opbrengsten geeft dan de meer intensieve landbouw. Maar de landbouwers kunnen voor dat inkomstenverlies vergoed worden. Tenslotte vervullen ze op die manier ook de taak van landschapsbeheerder, en profiteert heel de gemeenschap hiervan.

MAP EN GROENE HOOFDSTRUCTUUR

De conflicten rond het Mestactieplan en de Groene Hoofdstructuur kwamen ongeveer in dezelfde periode tot stand. Het verband was om te beginnen persoonlijk: telkens ging het tussen minister De Batselier en de boerenorganisaties, vooral dan het Algemeen Boerensyndicaat en de Boerenbond.

Maar daarnaast is er toch ook wel een inhoudelijk verband. Als een gebied als kerngebied of ontwikkelingsgebied wordt aangeduid, betekent dat ook dat er in die zone minder mest mag worden uitgereden. Nog minder dan in de algemene normen van het Mestactieplan. Hoe meer natuurgebieden er dus komen in de Groene Hoofdstructuur, hoe moeilijker het voor de varkenskwekers wordt de grond te vinden om hun overtollige mest kwijt te raken. Er is dus ook wel een zeker inhoudelijk verband tussen MAP en Groene Hoofdstructuur, maar dat moet ook niet overdreven worden: het gaat slechts om een klein gedeelte van het mestoverschot.

GROND

De hele ruzie draait dus om grond: de landbouw vreest dat van de 600 000 hectare landbouwgrond er nog meer zal verdwijnen. De milieubeweging ontkent dat. Slechts op een kleine oppervlakte zou de landbouw volledig moeten verdwijnen. Voor de rest blijft landbouw mogelijk, maar met beperkingen.

Alles samen gaat het om een beperkt verlies, stelt Johan Van de Walle van de v.z.w. Natuurreservaten. De afgelopen jaren zijn ruim 9250 hectare landbouwgrond verloren gegaan. Daarvan zijn er nauwelijks 240 hectare naar natuurbeheer gegaan. De overige 9000 hectare gingen naar nieuwe industrieterreinen, verkavelingen, wegen enzovoort. En tegen dat soort inpalming komt veel minder protest van landbouwers.

Landbouwers hanteren blijkbaar dezelfde prioriteiten als de rest van de samenleving. Een onteigening is natuurlijk nooit prettig, maar men vindt het blijkbaar geoorloofd dat een akker verdwijnt voor een fabriek of een snelweg. Men accepteert echter niet dat er eerst onteigend wordt en dat men daarna "niets doet" met die grond. Lees: de grond als natuurreservaat beheert.

STRUCTUURPLAN VLAANDEREN

Hoe moet het nu verder met de Groene Hoofdstructuur? De informatie- en inspraakronde werd dus afgebroken, omwille van het geweld van sommige boerenorganisaties. Uiteindelijk verkoos minister De Batselier het plan terug te schuiven naar zijn collega Kelchtermans, die bevoegd is voor ruimtelijke ordening. Hij moet de Groene Hoofdstructuur inpassen in het algemene Structuurplan voor Vlaanderen. In dat plan krijgt niet alleen de natuur een plaatsje, maar komen er als het ware ook Hoofdstructuren voor de industrie, de landbouw, het verkeer, de bewoning en dergelijke. Logischerwijs hoort de Groene Hoofdstructuur dus wel thuis in het Structuurplan Vlaanderen. Het probleem is echter dat er al erg veel werk is gestoken in de Groene Hoofdstructuur, terwijl er nog veel moet gebeuren aan het Structuurplan, dat een bijzonder complexe onderneming lijkt te worden. In de Vlaamse Raad drukte kamerlid Vera Dua er dan ook haar bezorgdheid over uit dat de Groene Hoofdstructuur hierdoor op de lange baan wordt geschoven. In elk geval ziet het er niet naar uit dat de lijdensweg van de Groene Hoofdstructuur nu al achter de rug is.

6
DE LANDBOUW TUSSEN HAMER EN AAMBEELD

Er heerst duidelijk onrust in de Vlaamse landbouwsector. De landbouwers voelen zich in het nauw gedreven en de nieuwe, strengere, milieu-eisen zijn de druppel die de emmer doet overlopen. Meer en meer wordt dan ook de vraag gesteld: heeft de landbouw nog een toekomst? Uiteraard is er nog een toekomst voor de landbouw. Men kan zich moeilijk voorstellen dat er in ons land geen tarwe of gerst meer gekweekt zou worden of dat er geen koeien en varkens meer zouden zijn. Maar het zal misschien wel een ander soort landbouw worden dan we nu kennen.

IN DE KNEL

De landbouwsector krijgt de laatste tijd een heleboel nieuwe beperkingen over zich heen. Er zijn niet alleen het Mestactieplan en de plannen voor een Groene Hoofdstructuur. Door het nieuwe milieureglement Vlarem 1 en 2 worden er steeds meer beperkingen gesteld aan de inplanting van bijvoorbeeld varkensstallen. Bovendien zijn de prijzen van de landbouwprodukten de afgelopen jaren in veel gevallen gedaald, waardoor de landbouwers het moeilijk hebben hun inkomen op peil te houden. Vooral de graanprijzen lijken in vrije val. Ook de komende jaren zal die dalende trend zich allicht voortzetten. De Europese Commissie wil immers minder geld besteden aan het gemeenschappelijk landbouwbeleid. Door de GATT-onderhandelingen over de vrijmaking van de wereldhandel, worden ook steunmaatregelen aan de landbouw onmogelijk gemaakt. De landbouwsector heeft dan geen enkele bescherming meer tegen de grillen van de wereldmarkt. Het is trouwens ironisch dat men het hier over een "liberalisering" heeft. In werkelijkheid wordt de markt voor landbouwprodukten in veel gevallen beheerst door enkele multinationals. Als de nationale handelsbelemmeringen wegvallen, worden die firma's heer en meester in hun marktsegment.

MACHT

Ondanks het krimpend economisch belang van de landbouwsector, waren de landbouwers er tot nu toe redelijk goed in geslaagd hun politieke macht te behouden. Dat had in de eerste plaats te maken met de bevoorrechte relatie tussen de Boerenbond en de CVP; een relatie die onder zware druk is komen te staan toen ook de CVP-ministers in de Vlaamse regering het Mestactieplan goedkeurden.

In het verleden had de landbouwsector eigenlijk alleen te maken met het ministerie van Landbouw en dat departement wordt vaak beheerd door iemand van de CVP (André Lavens, Paul De Keersmaecker, André Bourgeois enz.). Maar nu opeens wordt de sector geconfronteerd met een "buitenstaander", een minister van Leefmilieu die zich met de landbouw gaat bemoeien. Het feit dat die buitenstaander dan nog iemand is van de SP, een partij die traditioneel weinig banden heeft met de landbouw, zal allicht ook de verstandhouding niet bevorderd hebben. Het is dan ook geen toeval dat het politieke conflict meestal tussen SP en CVP ging (waarbij VU en Agalev de SP steunden). De landbouwbevolking kiest immers traditioneel voor de CVP, terwijl de Vlaamse socialisten weinig aanhang hebben in de landbouwsector.

FRUSTRATIE

Al deze frustraties verklaren de soms agressieve manier waarop de sector gereageerd heeft op het Mestactieplan en de Groene Hoofdstructuur. Op verscheidene plaatsen werden milieuactivisten lastig gevallen. Een triest dieptepunt was de mishandeling van twee natuurbeschermers in Wuustwezel in november 1993. Ook de acties tegen de privé-woningen van de ministers De Batselier en Wivina Demeester verliepen behoorlijk agressief. De landbouwsector heeft door die acties heel wat krediet verloren bij de publieke opinie.

Men krijgt hierdoor een beetje de indruk dat de milieubeschermers als zondebok fungeren. In de praktijk heeft de landbouwsector net zo hard te lijden onder de GATT-onderhandelingen of de inkrimping van het Europees landbouwbeleid als onder de nieuwe milieuregels. Alleen: bij die economische maatregelen ligt het doelwit minder voor de hand. Waar moet je betogen als je ontevreden bent over het GATT-akkoord? De frustraties afreageren op milieubeschermers die in dezelfde gemeente wonen is dan een gemakkelijke oplossing.

GELD

De landbouwers komen dus meer en meer in een benarde positie. Hun inkomen hinkt achterop bij dat van de rest van de bevolking. En als de landbouwer zijn best doet om het gezinsinkomen wat op te krikken, krijgt hij het deksel op de neus van de milieubeweging. De landbouwsector zit dus in een bijzonder moeilijk parket: aan de ene kant worden ze gedwongen om steeds intensiever en dus milieuonvriendelijker te produceren, en als ze dat doen krijgen ze de kritiek dat ze grote vervuilers zijn.

Eigenlijk zitten de landbouwers hier in een uitzichtloze situatie, omdat ze over slechts één manier beschikken om hun inkomen op peil te houden: meer produceren. In normale omstandigheden heeft een producent twee mogelijkheden om zijn inkomsten te verhogen: je kunt je toeleggen op duurdere produkten of je kunt méér produceren. Een autofabrikant bijvoorbeeld kan zich specialiseren in het duurdere genre. Je besteedt meer aandacht aan afwerking en veiligheid en je kunt per auto enkele honderdduizenden meer vragen. Zonder de produktie op te drijven, verhoog je daardoor je inkomsten. De landbouwer kan zoiets niet, omdat hij een uniform produkt aflevert. De consument wil gewoon aardappelen, tegen een goedkope prijs, en vraagt daar niet bij wie die aardappelen gekweekt heeft. Het heeft dus geen zin extra aandacht te besteden aan die aardappelen; je krijgt er op de veiling maar dezelfde prijs voor als iedereen. De enige oplossing voor de boer is dus: méér aardappelen kweken. En dat vraagt nog meer machines, nog meer bestrijdingsmiddelen enzovoort. Uiteindelijk is het dat economisch mechanisme dat ervoor zorgt dat de landbouwers gedwongen worden milieuonvriendelijk te produceren.

VARKENS

Volgens berekeningen van de Boerenbond is het landbouwinkomen in 1992 gemiddeld met 8 procent gedaald. Landbouwers zouden, volgens dezelfde bron, nu zo'n 20 procent minder verdienen dan andere werknemers. Vooral de akkerbouw wordt zwaar getroffen, omdat de marktprijzen daar sterk zijn gedaald. Maar alleen in de varkenssector blijft het inkomen min of meer op peil. Voor landbouwers is het dus verstandig zich toe te leggen op de varkensteelt: het is een van de weinige methoden om toch een redelijk inkomen te verwerven op een relatief beperkte oppervlakte. Dat verklaart waarom de landbouwsector zo krachtdadig reageert op de pogingen om het aantal varkensbedrijven onder controle te houden.

De landbouwers zitten dus tussen hamer en aambeeld. Ze worden door de maatschappij gedwongen steeds intensiever te werken, om toch een zeker inkomen te behouden. En als ze dat dan doen, krijgen ze van de milieubeschermers het verwijt dat ze het leefmilieu aantasten! Het is ook nooit goed. Maar zolang men slechts bereid is een paar frank per kilo te betalen voor tarwe of voor aardappelen, mag men niet verwachten dat de landbouwers veel aandacht kunnen besteden aan het leefmilieu. En, zeggen de landbouwers daar dan bij, waarom krijgen wij maar 5 frank voor een kilo tarwe, terwijl een kilo brood bij de bakker 70 frank kost? De enige oplossing ten gronde voor de milieuproblemen is dan ook een ander soort landbouw. Een landbouw waarin minder de nadruk ligt op hoeveelheden (die toch maar leiden tot overschotten), en meer de nadruk op de kwaliteit van de landbouwprodukten. Dat betekent natuurlijk dat er meer betaald zal moeten worden voor die produkten. En dat betekent dat het laatste woord van de niet-landbouwbevolking moet komen. Want het is gemakkelijk voortdurend kritiek te hebben op de landbouw, als men tegelijk spotgoedkope landbouwprodukten wil. Als de consumenten zich echt zorgen maken over het leefmilieu, moeten ze ook maar bereid zijn die prijs te betalen. Want een toekomst zonder landbouw, die is toch ondenkbaar.